# Diabetes de la A a la Z

# Diabetes de la A a la Z
## Todo lo que usted debe saber

American Diabetes Association®

Traducción
Elvira Maldonado

GRUPO EDITORIAL
norma

Barcelona, Bogotá, Buenos Aires, Caracas, Guatemala,
Lima, México, Miami, Panamá, Quito, San José,
San Juan, Santiago de Chile, Santo Domingo.

Editión original en inglés: *DIABETES A TO Z*
*What You Need to Know about diabetes - Simply Put.*
Una publicatión de the American Diabetes Association,
1701 N. Beauregard St., Alexandria, Va 22311, USA
Copyright © 1996, 1997 por American Diabetes Association.

Copyright © 1997 para América Latina
por Editorial Norma S. A.
Apartado Aéreo 53550, Bogotá, Colombia.
Reservados todos los derechos.
Prohibida la reproducción total o parcial de este libro,
por cualquier medio, sin permiso escrito de la Editorial.
Impreso por Impreandes
**Impreso en Canada — Printed in Canada**
Enero, 1998

Corrección, Juan Fernando Esguerra y Dora Bueno de Parra
Diseño de cubierta, María Clara Salazar
Armada electrónica, Andrea Rincón

Este libro se compuso en caracteres New Aster.

ISBN 958-04-4085-9

# Contenido

# Prólogo

Si le acaban de diagnosticar una diabetes o hace años que la tiene, si alguien en su familia o una persona muy cercana a usted la padece, posiblemente le interesa conseguir toda la información disponible sobre esta enfermedad, y ésta es precisamente la ayuda que le ofrece *Diabetes de la A a la Z*, pues explica, en términos claros y sencillos, todo lo que usted necesita saber.

*Diabetes de la A a la Z* es una enciclopedia sobre esta enfermedad, organizada en orden alfabético, lo que le facilitará encontrar la información que necesita, o leer al azar los temas que sean de su interés.

La información proporcionada en cada artículo le permitirá establecer un balance entre las exigencias planteadas por el cuidado de su diabetes y un estilo de vida agradable y activo. También encontrará consejos útiles que lo ayudarán a enfrentar los retos sociales y emocionales que le plantea el diario vivir a una persona que sufre de diabetes.

Esperamos que *Diabetes de la A a la Z* le ayude a comprender su enfermedad para que logre vivir muchos años más, disfrutando de una vida feliz y saludable.

Frank Vinicor, MD, MPH
*Ex presidente, American Diabetes Association*

# Accidente cerebrovascular

Los accidentes cerebrovasculares (o derrames cerebrales) se presentan cuando se bloquea el flujo de la sangre al cerebro. Sin sangre, el cerebro no puede recibir el oxígeno que necesita. Cuando ocurre un derrame cerebral, parte del cerebro queda lesionada o muere.

El flujo puede interrumpirse a causa de la acumulación de grasa y colesterol en los vasos sanguíneos que alimentan el cerebro (véase *Enfermedad vascular*). Este tipo de ataque se denomina isquemia cerebral, y es el más frecuente.

Si el flujo sanguíneo hacia el cerebro se bloquea únicamente durante un tiempo muy breve, este accidente se denomina accidente cerebrovascular isquémico (ACI). Es posible que el organismo libere enzimas que disuelvan rápidamente el coágulo y restablezcan el flujo sanguíneo. Si a usted se le presentan con frecuencia estas pequeñas embolias, corre el riesgo de que le ocurra un accidente cerebrovascular isquémico.

Otro tipo de accidente cerebrovascular se denomina accidente cerebrovascular hemorrágico y ocurre cuando alguna vena del cerebro gotea o se rompe. La causa más común de los accidentes cerebrovasculares hemorrágicos es la tensión arterial alta, puesto que ésta puede debilitar los vasos sanguíneos, lo que los hace más susceptibles de presentar escapes o de romperse.

La diabetes duplica el riesgo de llegar a sufrir un accidente cerebrovascular. Si, además, el diabético presenta otros factores de riesgo, el peligro de sufrir un accidente cerebrovascular es mucho mayor.

## Factores de riesgo

- Ha presentado accidentes cerebrovasculares isquémicos.
- Tiene la tensión arterial alta.
- Fuma.
- Tiene alto nivel de colesterol.
- Tiene exceso de peso.
- No hace ejercicio.
- Bebe demasiado.

Usted tiene diabetes, y esto es inmodificable, pero puede reducir los otros factores de riesgo.

## Para reducir el riesgo de sufrir un accidente cerebrovascular

- Si aún no ha logrado controlar suficientemente su diabetes, esfuércese por mantener sus niveles de glucosa en sangre dentro de los parámetros ideales (véase *Glucosa en sangre*). Esto puede ayudar a prevenir o a retardar la posibilidad de una lesión en los vasos sanguíneos producida por altos niveles de glucosa.

- Si tiene la tensión arterial alta, trabaje con la asesoría de su médico para controlarla, lo cual puede lograr siguiendo una dieta saludable, haciendo ejercicio, perdiendo peso y tomando medicamentos. Algunas personas logran controlar su tensión arterial disminuyendo el consumo de sodio (sal). Intente no exceder los 2.000 miligramos de sodio al día.

- Si usted fuma, trate de disminuir la cantidad de cigarrillos por día o, lo que es mejor, deje de fumar. El cigarrillo estrecha los vasos sanguíneos y contribuye a que el colesterol y la grasa se acumulen en las paredes de las venas. El cigarrillo tiende a acelerar la formación de coágulos.

- Si tiene colesterol alto, consuma menos grasas saturadas animales y colesterol. El colesterol alto puede producir lesiones en los vasos sanguíneos.

- Si tiene exceso de peso, pierda algunos kilos. Perder aunque sea unos pocos kilos, con dieta y ejercicios, baja la tensión arterial y mejora los niveles de colesterol.

- Si no hace ejercicio, procure caminar o montar en bicicleta al menos 15 minutos diarios tres veces a la semana. Estos ejercicios pueden ayudarle a bajar la tensión arterial, el colesterol LBD (el malo) y los triglicéridos, además de elevar los niveles del colesterol LAD (el bueno).

- Si usted bebe más de dos copas de licor al día, trate de bajar su consumo. Beber más de esa cantidad de alcohol puede elevar su tensión arterial. No beba más de 2 onzas de licor, o 2 vasos de vino, o 2 cervezas, al día. No beba nada si usted tiene problemas con el alcohol o alguna contraindicación médica.

Esté alerta a cualquier síntoma de accidente cerebrovascular. Sepa qué hacer en caso de que se le presente alguno de estos síntomas:

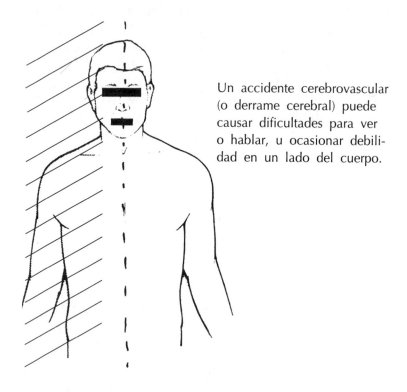

Un accidente cerebrovascular (o derrame cerebral) puede causar dificultades para ver o hablar, u ocasionar debilidad en un lado del cuerpo.

## Síntomas de accidente cerebrovascular

- En forma súbita siente debilidad o entumecimiento en la cara, un brazo o una pierna.
- Su vista de pronto se vuelve borrosa, se oscurece o se extravía.
- No puede hablar o no puede entender cuando alguien le habla.
- Se le presenta un repentino dolor de cabeza.
- Se siente mareado, inestable o se cae de pronto.

## Si cree que se le está presentando un accidente cerebrovascular

1. Solicite una ambulancia.
2. Conserve la calma.
3. No coma ni beba nada.

# *Agentes orales*

Los agentes orales son tabletas o píldoras que ayudan a controlar los niveles de glucosa en sangre. No son insulina y están destinados a las personas con diabetes tipo 2.

Los médicos pueden prescribir agentes orales a personas que no sean capaces de mantener, con dieta y ejercicio, su glucosa en niveles seguros.

## Sulfonilúreas

Es posible que le prescriban gliburida, tolbutamida, tolazomida, clorpropamida, acetohexamida, glipicida o glimepirida.

Estas sulfonilúreas ayudan al organismo a producir más insulina, como también a responder a la insulina. Además, ordenan al hígado no enviar más glucosa a la sangre. Estas acciones bajan los niveles de glucosa en sangre. En algunos casos las sulfonilúreas bajan demasiado los niveles de glucosa. También pueden hacer que usted suba de peso con más facilidad.

## *Posibles efectos secundarios de las sulfonilúreas*

- Náuseas
- Vómito
- Erupciones de la piel
- Comezón

# Metformin

También es posible que le prescriban metformin, un fármaco que pertenece al tipo denominado biguanida. Esta droga hace que su hígado secrete más lentamente la glucosa almacenada.

El metformin también puede ayudar al organismo a responder a la insulina. Sus efectos ayudan a mantener más parejos los niveles de glucosa en sangre. El metformin no estimula al organismo a producir más insulina. Debido a esto, es menor el peligro de bajas en los niveles de glucosa en sangre y de un aumento de peso.

## *Posibles efectos secundarios del metformin*

- Sabor metálico en la boca
- Molestias estomacales
- Náuseas
- Pérdida del apetito
- Diarrea

Estos efectos secundarios generalmente desaparecen en breve tiempo. El metformin puede ocasionar acidosis láctica a personas con afecciones del corazón, el riñón o el hígado. La acidosis láctica es una concentración peligrosa de ácido en la sangre. Si usted sufre del corazón, de los riñones o del hígado, no tome metformin.

# Acarbose

Es posible que le prescriban acarbose. Éste es el primer miembro de una nueva categoría de medicamentos denominados inhibidores alfaglucosidasa.

El acarbose hace que el proceso de transformación de los alimentos en glucosa en el intestino sea más lento. Esto hace que la glucosa penetre más lentamente en la sangre y, por lo tanto, que mantenga niveles más estables, con menos alzas y bajas. El acarbose es especialmente útil para evitar las alzas repentinas de los niveles de glucosa que pueden producirse después de las comidas.

## Posibles efectos secundarios del acarbose

- Gases
- Inflamación del estómago
- Diarrea

En la mayoría de las personas estos efectos secundarios se presentan cuando empiezan a tomar el acarbose, pero ellos tienden a desaparecer poco tiempo después. Sin embargo, en algunas personas estos efectos secundarios persisten. Si usted padece de alguna enfermedad gastrointestinal, no tome acarbose.

# Troglitazona

Es posible que le receten troglitazona, droga perteneciente a las denominadas tiazolidinedionas. En el momento de publicarse este libro, la troglitazona (cuyo nombre de fábrica es Razulin) ha sido aprobada para ser utilizada por personas con diabetes tipo 2 a quienes se esté administrando insulina. Los enfermos de diabetes tipo 2 que tomen troglitazona pueden reducir sus dosis de insulina. La troglitazona refuerza la acción de la insulina, haciendo que el organismo la requiera en menor cantidad. La troglitazona no es recomendable para personas con fallas cardiacas o enfermas del hígado.

## Los agentes orales son una parte de su plan de cuidados de la diabetes

Su médico le indicará qué tabletas o píldoras tomar, cuántas y cuándo tomarlas. Generalmente, deberá tomarlas de una a tres veces al día.

Los agentes orales no reemplazan la dieta ni el ejercicio; son sus auxiliares. De hecho, si usted no sigue su plan alimentario y su programa de ejercicios, los agentes orales no producirán en usted los efectos deseados.

En algunos casos los agentes orales son eficaces durante un tiempo, y después pierden efectividad. Esto sucede después de algunos años. Si sus tabletas han perdido eficacia, su médico puede prescribirle:

- Otra clase de tableta o píldora
- Dos tipos diferentes de tabletas
- Una tableta e insulina
- Insulina

# Alimentación

Por lo general, las etiquetas de los alimentos empacados le proporcionan toda la información que usted necesita acerca de sus componentes. Cuanto más información tenga al respecto, más se le facilitará controlar su diabetes.

Una de las primeras cosas que posiblemente encuentre en una etiqueta es la información acerca de los nutrimentos o sustancias nutritivas. Usted podrá observar que en ella dice "bajo en grasa" o "bajo en calorías". Estas informaciones obedecen a parámetros generalizados, algunos de los cuales aparecen al final de esta sección. Sin embargo, el lugar donde aparece la información más útil sobre cada alimento es el recuadro denominado *Información nutricional*.

## Porciones recomendadas

Estas porciones son cada vez más uniformes en todas las marcas de alimentos similares. De esta forma a usted le es más fácil establecer comparaciones. Además, las porciones recomendadas son más cercanas a las cantidades reales que la gente consume. Los tamaños se determinan ya sea utilizando medidas domésticas (por ejemplo, una taza) o el sistema métrico (por ejemplo, gramos).

## Lista de sustancias nutritivas

Las listas de sustancias nutritivas deben incluir las calorías, las calorías provenientes de grasas, el contenido graso total, el colesterol, el sodio, el contenido total de hidratos de carbono, la fibra, los azúcares y las proteínas. Otras sustancias nutritivas que también pueden figurar en las listas son las calorías procedentes de grasas saturadas, grasas poliinsaturadas, grasas monosaturadas y el potasio.

Después de las sustancias nutritivas mencionadas en la lista, usted encontrará un número. Éste representa la cantidad de dicha sustancia (en gramos o miligramos) presente en una porción del alimento en cuestión.

**Información nutricional**

Porción: 1 taza (228 g)
Porciones por paquete: 2

**En cada porción**

**Calorías** 260    Calorías de grasa 120

% del valor diario*

| | |
|---|---|
| **Grasa total** 13g | **20%** |
| Grasa saturada 5g | **25%** |
| **Colesterol** 30 mg | **10%** |
| **Sodio** 660 mg | **28%** |
| **Hidrat. de carbono total** 31g | **10%** |
| Fibra dietética 0 g | **0%** |
| Azúcares 5g | |
| **Proteínas** 5g | |

Vitamina A 4% • Vitamina C 2%

Calcio 15%    • Hierro 4%

* Los porcentajes de valores diarios están basados en una dieta de 2.000 calorías. Sus valores diarios pueden variar de acuerdo con sus necesidades calóricas:

| | Calorías | 2.000 | 2.500 |
|---|---|---|---|
| Grasa total | Menos de | 65 g | 80 g |
| Grasa saturada | Menos de | 20 g | 25 g |
| Colesterol | Menos de | 300 mg | 300 mg |
| Sodio | Menos de | 2.400 mg | 2.400 mg |
| Hidratos de carbono totales | | 300 g | 375 g |
| Fibra dietética | | 25 g | 30 g |

Calorías por gramo:
Grasa 9 - Hidratos de carbono 4 - Proteína 4

*Etiqueta básica de un alimento*
*Fuente:* Food and Drug Administration.

# Vitaminas y minerales

La información nutricional debe enumerar las cantidades de vitaminas A y C, calcio y hierro. También puede incluir información sobre otras vitaminas y minerales. Después del nombre de la vitamina o mineral se encuentra un número seguido por el signo %, que corresponde al porcentaje diario de vitamina o mineral contenido en una porción del alimento. Los números más altos indican que el alimento tiene más cantidad de la mencionada vitamina o mineral.

# Valores diarios

Los valores diarios le dicen qué cantidad de determinadas sustancias nutritivas necesita usted. Los valores diarios han sido establecidos para grasa total, grasa saturada, colesterol, sodio, potasio, hidratos de carbono totales, fibra dietética y proteína. No hay sugerencia de valores diarios para los azúcares, puesto que los expertos en salud no han llegado a un acuerdo en relación con la cantidad de éstos que una persona debe consumir.

Los valores diarios se basan en el número de calorías que usted consume en un día. Todos los empaques con información nutricional proporcionan una lista de los valores diarios para quienes consumen 2.000 calorías por día. Algunos empaques más grandes también proporcionan listas de valores diarios para personas que consumen más de 2.500 calorías por día.

Los valores diarios para usted pueden ser menores o mayores que los que aparecen en las listas, puesto que si por alguna razón usted necesita consumir mayor cantidad de calorías al día, obviamente sus valores diarios serán mayores. Cuanto menos calorías necesite consumir al día, menores serán sus valores diarios. Con la ayuda de un dietista usted puede determinar cuáles son los valores diarios que usted debe consumir para satisfacer sus necesidades calóricas.

## Porcentaje de valores diarios

El porcentaje de valores diarios le informa sobre qué cantidad de sustancias nutritivas consume usted cuando ingiere una porción del alimento en cuestión. Si consume un porcentaje más alto, quiere decir que utiliza una cantidad mayor de valores diarios.

### Parámetros de la información sobre sustancias nutritivas

| Término | Qué significa |
| --- | --- |
| Sin calorías | Menos de 5 calorías por porción |
| Sin colesterol | Menos de 2 mg de colesterol por porción y 2 g o menos de grasa saturada por porción |
| Sin contenido graso | Menos de 0.5 g de grasa por porción |
| Sin grasas saturadas | Menos de 0.5 g de grasas saturadas por porción |
| Sin sodio | Menos de 5 mg de sodio por porción |

| Término | Qué significa |
| --- | --- |
| Sin azúcar | Menos de 0.5 g de azúcar por porción |
| Bajo en calorías | 40 calorías o menos por porción |
| Bajo en colesterol | 20 mg o menos de colesterol por porción y 2 g o menos de grasas saturadas por porción |
| Bajo en grasa | 3 g o menos de grasa por porción |
| Bajo en grasas saturadas | 1g o menos de grasas saturadas por porción |
| Bajo en sodio | 140 mg o menos de sodio por porción |
| Extramagro | Menos de 5 g de grasa, 2 g de grasas saturadas y 95 mg de colesterol por porción |
| Magro | Menos de 10 g de grasa, 4.5 g de grasa saturada y 95 mg de colesterol por porción |
| Ligero o liviano (*Light* o *lite)* | Con un contenido calórico menor del 33.3% o graso menor del 50% por porción, comparado con alimentos similares |

| Término | Qué significa |
| --- | --- |
| Reducido | 25% más ligero que alimentos similares. Lea cuidadosamente la información nutricional, pues algunos de estos alimentos todavía tienen un contenido demasiado alto en grasas y calorías |

# Análisis de la hemoglobina glucocilada

La hemoglobina es una proteína que se encuentra en los glóbulos rojos y que transporta el oxígeno desde los pulmones a todas las células del cuerpo.

Como otras proteínas, la hemoglobina puede unirse a azúcares como la glucosa, y cuando esto sucede forma lo que se denomina hemoglobina glucocilada (GHb).

Cuanta más glucosa haya en la sangre, mayores cantidades de hemoglobina se le unirán. Cuando estos dos elementos se unen, permanecen unidos durante el período vital de estos glóbulos rojos; es decir, aproximadamente por cuatro meses.

El análisis de GHb mide la cantidad de hemoglobina glucocilada presente en los glóbulos rojos. Este análisis debe realizarse en un laboratorio.

Para realizarlo, lo primero que debe hacer es tomarse una muestra de sangre a cualquier hora del día, sin importar el tipo de alimento que haya ingerido antes de practicarse el examen. Tampoco tiene importancia el nivel de glucosa en sangre que presente en el momento del examen.

## Cuál es el objetivo del análisis de GHb

- Proporcionar información relacionada con el promedio de niveles de glucosa en sangre durante los últimos 2 a 4 meses. Con ello podrá verificar cómo ha funcionado su control de los niveles de glucosa.

- Poder establecer una comparación con los análisis que usted se ha practicado en casa o con los que le haya practicado su médico. Si los análisis muestran discrepancias, es posible que deba introducir modificaciones en sus autoanálisis o en la manera como los hace.

- Ayudarle a evaluar su programa de control de la diabetes. Si el análisis muestra un promedio elevado de los niveles de glucosa, hay necesidad de introducir algunos cambios en su programa.

- Mostrarle si hay algún cambio en el programa de control que haya afectado su diabetes. Tal vez usted ha iniciado un nuevo programa de ejercicios, o aumentado su duración o intensidad. Un test de GHb puede confirmar si el nuevo plan de ejercicios ha producido efectos benéficos en su control de glucosa en sangre.

## Qué pueden significar los números

Hay más de una manera de medir el GHb y hay más de un tipo de GHb. Éste puede medirse aplicando diversos tipos de análisis, y por lo tanto los resultados pueden variar de un laboratorio a otro.

Si usted cambia de médico o éste cambia de laboratorio, averigüe qué sistema de medición aplica el nuevo laboratorio. Por lo general, un resultado más alto mostrará que usted presenta un promedio de niveles de glucosa en sangre más alto. Trabaje conjuntamente con su médico o con el equipo que lo atiende, a fin de establecer los parámetros y metas de su GHb.

## Cuándo practicarse el análisis

El primer análisis debe practicarse cuando se le diagnostica la diabetes. A partir de entonces,

*Si se administra insulina*
Sométase a este análisis por lo menos cuatro veces al año.

*Si no se administra insulina*
Sométase a este análisis cuando su médico se lo recomiende.

## Por qué debe continuar practicándose los autoanálisis

El GHb no puede reemplazar los análisis que usted se practica diariamente para determinar los niveles de glucosa en sangre (véase *Glucosa en sangre: autoanálisis*). Éstos le ayudan a tomar decisiones en esos momentos, mientras que su análisis de GHb le proporcionará un cuadro general de los esfuerzos que usted hace para mantener controlados diariamente los niveles de glucosa en sangre.

# Ataque cardiaco

Un ataque cardiaco se presenta cuando se bloquea el flujo sanguíneo hacia el corazón, puesto que sin sangre éste no recibe el oxígeno que necesita. Cuando se presenta un ataque cardiaco, una parte del corazón sufre lesiones o muere.

El flujo sanguíneo puede verse obstruido debido a la acumulación de grasa y colesterol en los vasos que llevan la sangre hacia el corazón (véase *Enfermedad vascular*). Es posible que la obstrucción se produzca debido a una interrupción ocasionada por la formación de un coágulo en una de las arterias.

Las personas con diabetes están más expuestas a sufrir ataques cardiacos, puesto que los altos niveles de glucosa pueden lesionar vasos sanguíneos importantes. Es imposible para usted cambiar el hecho de que tiene diabetes, pero sí hay muchas cosas que puede hacer para conservar la salud de su corazón.

## Cómo reducir el riesgo de un ataque cardiaco

- Controle su diabetes. Mantener sus niveles de glucosa en sangre dentro de los parámetros ideales (véase

*Glucosa en sangre*) y tratar de alcanzar las metas fijadas para su GHb (véase *Análisis de la hemoglobina glucocilada*) puede impedir o demorar el daño de los vasos sanguíneos.

- Abandone el cigarrillo. Éste produce un estrechamiento de los vasos sanguíneos y contribuye a la acumulación de grasa y colesterol en las paredes de éstos. El cigarrillo favorece una rápida formación de coágulos.

- Si tiene la tensión arterial alta, establezca con su médico un programa para controlarla. La tensión alta obliga a su corazón a trabajar más de lo normal y, por tanto, lo debilita. Para bajar la tensión, usted debe seguir un plan alimentario saludable, hacer ejercicio, perder peso y, en ocasiones, tomar medicamentos específicos para este fin.

- Consígase un buen libro de cocina con recetas apetitosas y agradables para preparar comidas con bajo contenido de grasas y colesterol, y aprenda a preparar alimentos saludables y deliciosos. El colesterol alto puede producir lesiones en sus vasos sanguíneos.

- Haga ejercicio por lo menos 15 minutos al día, tres veces a la semana. Camine, monte en bicicleta o nade. Éstos son ejercicios aeróbicos, que exigen participación de su corazón, pulmones y músculos.

  Los ejercicios aeróbicos pueden bajar la tensión arterial, el colesterol LBD y los triglicéridos, y subir los niveles de colesterol LAD. Los ejercicios aeróbicos pueden mejorar la salud de su corazón, ayudarle a bajar de peso y a reducir el estrés.

- Si tiene exceso de peso, ¡adelante, pierda unos pocos kilos! Aun cuando la reducción de peso que logre sea mínima, si hace dieta y ejercicio tenderá a bajar la tensión arterial y a mejorar los niveles de colesterol.

- Trate de mantener la calma frente a las situaciones estresantes (véase *Estrés*). Un exceso de estrés puede dar origen a la elevación de los niveles de glucosa y de la tensión arterial.

- Mujer, ¡piense en el estrógeno! Si ya ha entrado en la menopausia, solicite a su médico información concerniente a la hormona femenina denominada estrógeno. Ésta puede protegerla de las enfermedades cardiacas. El estrógeno puede elevar el colesterol LAD y prevenir la formación de coágulos. Pero también debe tener en cuenta que en algunas mujeres puede aumentar el riesgo de cáncer de mama o uterino.

- Preste atención a los síntomas de un ataque cardiaco. Sepa qué hacer si éstos se presentan.

## Síntomas de ataque cardiaco

- Dolor, tensión u opresión en el pecho.
- Dolor que se extiende hacia el cuello, los hombros, los brazos o la mandíbula.
- Dificultad para respirar, sensación de mareo o desvanecimiento.
- Sudor y náuseas.

**Nota especial:** es posible que las personas con diabetes no sientan dolor, o que éste sea muy leve. Por tanto, es importante que presten atención a la dificultad respiratoria o al hipo persistente. El principal síntoma puede ser un elevado nivel de cetonas (véase *Cetonas*).

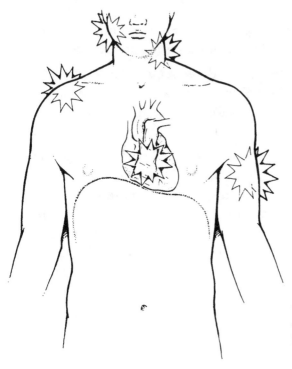

Un ataque al corazón puede producir dolor en el pecho, el cuello, los hombros, los brazos o la mandíbula.

# Si piensa que está a punto de sufrir un ataque cardiaco

1. Llame a un servicio de ambulancias o pida a alguna persona que lo lleve al hospital más cercano, ojalá a uno que tenga atención de emergencia para problemas cardiacos durante las 24 horas.

2. Diga a quienes estén con usted que cree estar sufriendo un ataque cardiaco. Si no lo hace y llega a perder el sentido, es posible que ellos pierdan tiempo tratando de determinar qué está sucediendo.

# *Azúcares*

Los azúcares constituyen uno de los dos mayores tipos de hidratos de carbono. El otro es el de los almidones. Como el organismo transforma estos dos elementos en glucosa, ambos tienden a elevar los niveles de ésta en sangre.

Investigaciones recientes han llegado a demostrar que los azúcares no elevan los niveles de glucosa más que los almidones y otros hidratos de carbono. Debido a esto, la Asociación Americana de Diabetes autoriza la inclusión de azúcares dentro del plan alimentario de los diabéticos, porque pueden formar parte de la cantidad total de hidratos de carbono permitida. Por tanto, junto con su dietista usted puede determinar cómo incluirlos dentro de su plan diario, para asegurarse de que no menoscaben su control de la glucosa en sangre.

## Fuentes de azúcares

El azúcar se encuentra en las frutas, las verduras y los productos lácteos. Los alimentos con azúcar natural generalmente son buenas fuentes de sustancias nutritivas como las vitaminas, los minerales, la fibra y la proteína.

A los alimentos procesados se les suelen adicionar azúcares. Usted puede informarse sobre qué cantidad de azúcar tiene un alimento procesado leyendo la tabla nutricional que viene en los empaques (véase *Alimentación*).

Muchos alimentos nutritivos como los cereales para el desayuno, los panes y muchos aderezos para las ensaladas, bajos en grasas, también contienen azúcar. Otros a los que también se les ha adicionado azúcar, como el chocolate, los pasteles y los helados, proporcionan altas cantidades de calorías y grasas pero pocos nutrimentos. Si está tratando de bajar de peso tendrá que limitar el consumo de comidas rápidas azucaradas, con alto contenido de calorías y de grasas.

## Las distintas clases de azúcares

Hay muchas clases de azúcares. Es posible que las listas de ingredientes proporcionadas bajo el título Información Nutricional le indiquen qué tipo de azúcares contiene un alimento en particular. A continuación encontrará una lista de los nombres de los distintos tipos de azúcares y de algunos alimentos a base de azúcar:

| | | |
|---|---|---|
| Dextrosa | Azúcar de remolacha | Polvo de algarrobo |
| Fructosa | Azúcar moreno | Fécula de maíz |
| Galactosa | Azúcar de caña | Endulzante de maíz |
| Glucosa | Azúcar glaseado | Jarabe de maíz |
| Lactosa | Azúcar granulado | Miel de abejas |
| Levulosa | Azúcar invertido | Miel de maple |
| Maltosa | Azúcar de maple | Melaza |
| Sacarosa | Azúcar en polvo | Jarabe de almidón |

Sorgo        Azúcar sin procesar    Jarabe de caña de azúcar
Turbinado  Azúcar de mesa

## Las calorías en los azúcares

Los azúcares enumerados anteriormente proporcionan un promedio de 16 calorías por cucharadita. Algunos contienen menos calorías como el azúcar en polvo (10) y la fructosa (12). Otros contienen más calorías, como la miel (12) y la melaza (18).

Los alcoholes de azúcar, o polialcoholes, que pueden adicionarse a ciertos alimentos, tienen menos calorías que los azúcares. Entre los polialcoholes se cuentan el sorbitol, el xilitol, la isomalta, el lactitol, los hidrolisatos de almidón hidrogenado, el manitol y el maltitol.

Las calorías de los azúcares pueden ser una fuente de energía para las personas que tienen una actividad física muy intensa, puesto que queman muchas calorías y tienen mayor necesidad de éstas. Es posible que su dietista le aconseje tener cuidado con los alimentos azucarados, porque si llena con éstos su cuota diaria de calorías no dejará mucho espacio para sus otros alimentos.

## La fructosa y los polialcoholes

La fructosa y los polialcoholes pueden ocasionar una elevación menor de sus niveles de azúcar en sangre que los otros azúcares o almidones. Pero la fructosa consumida en grandes cantidades puede aumentar los niveles de grasa en la sangre. Por otra parte, grandes cantidades de polialcoholes pueden producirle diarrea.

La Asociación Estadounidense de Diabetes (*American Diabetes Association*) recomienda que los diabéticos consuman alimentos endulzados con fructosa o con polialcoholes en cantidades moderadas. No se justificaría consumir grandes cantidades de fructosa o de polialcoholes para reemplazar los otros azúcares.

## Endulzantes no nutritivos

Los endulzantes no nutritivos tienen muy pocas calorías y no afectan los niveles de glucosa en sangre. A diferencia de los azúcares, ellos pueden adicionarse a su plan alimentario. La Asociación Estadounidense de Diabetes ha aprobado el consumo moderado de tres endulzantes no nutritivos. Éstos son el aspartame (Nutrasweet, Equal), la sacarina (Sweet'n Low) y el acesulfame potasio (Sweet One).

## Usted decide

Es usted quien, con la ayuda de su dietista, toma la decisión de utilizar azúcares o endulzantes no nutritivos. La Asociación Estadounidense de Diabéticos recomienda que todas las personas, sin excepción, sigan una dieta nutritiva y bien balanceada de la cual pueden formar parte, en cantidades moderadas, los azúcares adicionados y otros endulzantes.

# Bebidas alcohólicas

Beber cantidades moderadas de alcohol no es contra-
producente, siempre y cuando usted mantenga su diabetes
debidamente controlada, no presente ninguna complicación y el alcohol que ingiera se adapte en forma adecuada
a su plan alimentario. Beber alcohol con el estómago vacío
puede ocasionarle una baja del nivel de glucosa en sangre,
si hace algún ejercicio después de beberlo, si está tomando
tabletas para la diabetes o si le están administrando insulina.

## Las bebidas alcohólicas y la baja de los niveles de glucosa en sangre

La insulina baja los niveles de glucosa en sangre. Las tabletas
para la diabetes (exceptuando el metformin, el acarbose
y la troglitazona) hacen que su cuerpo produzca más insulina
y, por consiguiente, que bajen los niveles de glucosa en
sangre. El ejercicio potencia este efecto de la insulina.

Por lo general, si se produce una baja muy fuerte del
nivel de glucosa en sangre, su hígado genera una cantidad
adicional de glucosa para reponer la deficiencia. (El hígado
produce su propia forma de glucosa, denominada

glucógeno.) Cuando en el organismo se introduce la toxina del alcohol, el primer movimiento del hígado está dirigido a su eliminación; por tanto, mientras trabaja para enfrentar la dificultad creada por el alcohol, es posible que descuide los otros campos, dejando así que se produzca una baja de glucosa que puede llegar a niveles peligrosos.

## Para evitar bajas en los niveles de glucosa en sangre:

- Coma algo cuando esté consumiendo alguna bebida alcohólica.

- Hágase un chequeo de los niveles de glucosa en sangre antes, durante y después de beber. El alcohol puede bajar estos niveles por un período de 8 a 12 horas después de la última copa.

- Programe con anterioridad la cantidad de licor que piensa consumir. No beba más de lo que pueda incluirse dentro de su programa de comidas.

Si se le presenta una baja en los niveles de glucosa después de haber bebido, es posible que quienes le atiendan piensen que el problema está relacionado con un posible estado de embriaguez, puesto que los síntomas son los mismos. Es muy importante que usted les informe no sólo sobre cuál es su enfermedad sino también qué se debe hacer para ayudarlo a solucionar el problema. Use un brazalete o cualquier otro distintivo donde se indique que tiene diabetes; esto puede serle de gran utilidad cuando su estado no le permita hablar.

Si usted conduce después de beber cuando tiene bajos niveles de glucosa en sangre, es posible que lo detengan por conducir embriagado, o incluso que tenga un acci- dente. Cuando beba —aunque sea una pequeña cantidad—, permita que alguien más conduzca; elija a una persona responsable con anterioridad.

## Las bebidas alcohólicas y sus complicaciones

El alcohol puede empeorar las lesiones de los nervios, las afecciones de la vista, la elevación de la tensión arterial y la acumulación de grasas en la sangre. Si presenta alguno de estos problemas, consulte con su médico para saber qué cantidad de alcohol puede ingerir.

## Las bebidas alcohólicas y su plan alimentario

Trabaje con un dietista para poder incluir su bebida favorita en su plan alimentario. Tenga presente que la cerveza corriente, los vinos dulces y los espumosos tienden a aumentar los niveles de glucosa en sangre más que la cerveza suave, los vinos secos y los licores como el vodka, el escocés y el whisky, puesto que contienen una mayor cantidad de hidratos de carbono.

Los hidratos de carbono son las principales sustancias nutritivas que tienden a elevar los niveles de glucosa en sangre. Si está siguiendo un plan alimentario que le permite controlar su peso, tenga presente que las bebidas alcohólicas tienen un contenido calórico que oscila entre las 60 y las 300 calorías por copa.

### Para disminuir las calorías

- Consuma bebidas que tengan un contenido alcohólico de 80% en vez de las que tienen un 100%. Cuanto más bajo sea el contenido alcohólico, menor será la cantidad de calorías que usted ingerirá. Cada gramo de alcohol tiene 7 calorías.

- Ponga menos licor en su bebida.
- Use mezcladores sin contenido calórico, como la soda o el agua.
- Prefiera la cerveza suave.
- Prefiera el vino seco.
- Tome *spritzer*, es decir, una pequeña cantidad de vino mezclada con club soda.

| Bebida | Porción | Calorías | Equivalencias |
|---|---|---|---|
| Licor | 1.5 oz | 107 | 2.5 cont. graso |
| Vino seco de mesa | 3.0 oz | 68 | 1.5 cont. graso |
| Vino espumoso | 12 oz | 196 | 3 cont. graso, 1 almidón |
| Cerveza corriente | 12 oz | 151 | 2 cont. graso, 1 almidón |
| Cerveza ligera | 12 oz | 97 | 2 cont. graso |

# Bombas de insulina

Una bomba de insulina es un pequeño aparato (del tamaño de un *beeper*) cuyo sistema computarizado se acciona por medio de baterías. En el interior de la bomba hay una jeringa que contiene insulina de acción restringida, con un émbolo accionado automáticamente. Un tubo muy delgado, de 53 a 58 centímetros de largo, se inserta en la bomba. En el otro extremo del tubo hay una aguja o catéter que la persona se coloca bajo la piel, por lo general en el abdomen o el muslo. A través de este

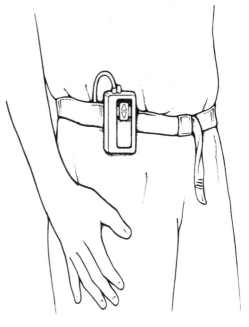

Bomba
de insulina

tubo y de este catéter se suministra la insulina al organismo.

Usted programa su bomba introduciendo en ella información sobre las dosis de insulina que requiere y a qué horas las necesita. Por lo general lo que le pide a su bomba es que le proporcione cantidades muy pequeñas de insulina de acción restringida continuamente día y noche, tal como lo haría un páncreas normal. Además, le ordena proporcionarle cantidades extras de insulina inmediatamente antes de comer.

Una bomba de insulina se puede llevar consigo casi todo el tiempo, ya sea entre la ropa o fuera de ésta. Estas bombas pueden ser impermeables o traer una cubierta para protegerlas cuando se toma una ducha o cuando se quiere nadar.

Claro está que usted puede quitarse la bomba cuando quiera, pero si piensa pasar sin ella períodos superiores a una hora, es posible que necesite aplicarse una inyección de insulina de acción restringida. Revise su nivel de glucosa en sangre para estar seguro. Sí, los autoanálisis de glucosa deben seguir practicándose al menos cuatro veces al día, aunque usted lleve esta bomba.

## Lo que la bomba puede hacer por usted

**_Mantiene sus niveles de glucosa cerca de los normales._** Esto se denomina control estricto. Si las inyecciones de insulina no han controlado sus niveles de glucosa, quizás una bomba de insulina sea más conveniente para usted.

**_Suaviza las oscilaciones de sus niveles de glucosa._** Si sus niveles de glucosa oscilan con frecuencia, la bomba puede ayudar a suavizar estas oscilaciones.

*Se hace cargo de las bajas nocturnas y las alzas matutinas.*
Su organismo necesita menos insulina por la noche que
al amanecer. Si usted trata de bajar la dosis de insulina
en la inyección que se aplica al anochecer para evitar una
baja de glucosa por la noche, no tendrá suficiente insulina
por la mañana. Por consiguiente, tendrá un alto nivel de
glucosa en sangre cuando se despierte.
Si usa la bomba de insulina, usted puede programarla para
que le suministre menos cantidad por la noche y más antes
del amanecer. De esta forma podrá evitar las bajas nocturnas y las alzas matutinas.

## ¡Atención!

*Cetoacidosis.* Cuando su organismo no tiene o tiene muy
poca insulina, usted está en peligro de contraer cetoacidosis,
que consiste en una peligrosa acumulación de cetonas en
la sangre.

Si el tubo de su bomba de insulina se obstruye, se
tuerce o la aguja se sale de su lugar, usted dejará de recibir
insulina, y es posible que esto suceda sin que se dé cuenta
(aunque las bombas tienen alarmas que indican cuándo
el tubo se obstruye, cuándo el nivel de insulina está muy
bajo, o cuándo las pilas están descargadas, no indican si
la aguja se ha salido de lugar).

Las cetonas pueden empezar a acumularse en una
hora, y la cetoacidosis puede desarrollarse en unas seis.
La mejor protección para usted es verificar con frecuencia
los niveles de glucosa. Si su nivel en sangre está por encima
de 250 mg/dl, practíquese un análisis de orina para verificar
si hay cetonas en ella.

*Infección.* Existe riesgo de infección en el punto de inserción
de la aguja o el catéter en el cuerpo. Para disminuir las

posibilidades de infección, limpie bien la zona de su piel antes de insertar la aguja o el catéter, cambie los lugares dentro de esa zona (véase *Inyecciones de insulina*) cada 48 horas y utilice un ungüento antibiótico y una cubierta protectora.

***Alergias de la piel.*** Usted puede presentar una reacción alérgica alrededor de la zona en donde se inserta la aguja o el catéter. Utilice cinta antialérgica o catéteres de teflón.

## Costos y seguro

Las bombas tienen un costo que oscila entre los US $ 3.000 y los US $ 5.000. Los accesorios necesarios para un mes, incluyendo las bandas para medir los niveles de glucosa, cuestan cerca de US $ 300.

Hay algunas entidades de salud y compañías de seguros que no pagan el costo de la bomba ni el de su mantenimiento. Las compañías de seguros estarían más dispuestas a financiar estos costos si su médico les explica por qué necesita usted la bomba.

Si cree que le convendría tener una, hable con su médico. Aprender a utilizarla puede llevarle cierto tiempo. Además, es posible que su médico quiera hospitalizarlo durante unos días cuando empiece a usar la bomba, para que pueda aprender a manejarla correctamente.

# *Cetonas*

Las cetonas son desechos que resultan del proceso que su organismo realiza al quemar las grasas acumuladas para producir energía. Su organismo quema grasa cuando no puede obtener la glucosa que necesita para producir energía. Esto se puede presentar en los diabéticos, por muchas razones.

## Altos niveles de glucosa

Esto significa que usted tiene demasiada glucosa e insuficiente insulina en sangre. Su sangre requiere de insulina a fin de poder utilizar la glucosa para producir energía. Si usted no tiene suficiente insulina, su organismo empieza a quemar grasas para generar energía.

## Bajos niveles de glucosa

Esto significa que usted tiene demasiada insulina e insuficiente glucosa en sangre. Como la glucosa se produce a partir de los alimentos que come, es posible que no haya comido lo suficiente. Cuando su organismo no está recibiendo las cantidades adecuadas de glucosa, empieza a quemar grasa para producir energía.

## Ejercicio

Cuando hace ejercicio, su organismo necesita mayor cantidad de energía. Si usted no tiene suficiente insulina o suficiente glucosa cuando hace ejercicio, su cuerpo quemará demasiada grasa.

## Estrés

El estrés puede ser de dos clases: físico, como cuando se somete a una operación quirúrgica; o mental, como cuando tiene que presentar algún examen. Sea cual sea el tipo de estrés a que esté sometido, para poder manejarlo su organismo necesita energía. Su cuerpo necesita tanta energía que quemará grasa si usted no tiene suficiente glucosa.

## Enfermedades

Usted está expuesto a tener un resfriado, irritación en la garganta, fiebre o alguna infección. También a tener diarrea o molestias estomacales. Cuando usted se enferma, su cuerpo necesita energía adicional para luchar contra esto y puede buscarla quemando grasa.

## Embarazo

Cuando usted está embarazada, su cuerpo necesita generar energía para dos. Si no come lo suficiente, es posible que su cuerpo recurra a la grasa para producir la energía que necesita.

# Lo que las cetonas pueden hacerle a su organismo

Si su cuerpo quema demasiada grasa muy rápidamente, es posible que se acumulen altos niveles de cetonas en la sangre. Las cetonas hacen más ácida su sangre, lo que puede alterar el equilibrio químico de su organismo.

Si sus niveles de glucosa en sangre son altos, la glucosa también llega a la orina y la hace más densa; en consecuencia, su organismo buscará líquido en cualquier parte para adelgazar la orina, lo que lo llevará a orinar demasiado. En este caso existe el peligro de una deshidratación.

Si se halla deshidratado y sus cetonas están muy altas, corre el riesgo de contraer una cetoacidosis. Esta enfermedad, que puede ser mortal, se desarrolla en un período de seis horas.

La mayoría de las personas que llegan a presentar cetoacidosis tienen diabetes tipo 1, pero los demás diabéticos no están totalmente fuera de peligro; por tanto, deben estar atentos a los síntomas.

## Síntomas de cetoacidosis

| | |
|---|---|
| Boca seca | Piel seca, enrojecida |
| Sed intensa | Fiebre |
| Aliento pastoso | Fatiga |
| Pérdida del apetito | Somnolencia |
| Dolor de estómago | Micción frecuente |
| Náuseas | Dificultad respiratoria |
| Vómito | |

# Examen para determinar la presencia de cetonas

Si usted muestra síntomas de cetoacidosis o está enfermo, embarazada o estresado, practíquese el examen de orina para determinar la presencia de cetonas. Verifique también si sus niveles de glucosa en sangre están por encima de los 240 mg/dl, especialmente si va a hacer ejercicio.

Los exámenes de orina para verificar la presencia de cetonas vienen en tres presentaciones: cintas, pastillas y bandas. Los botiquines con los implementos para los análisis de cetonas los encuentra en las farmacias. Éstos pueden comprarse sin necesidad de fórmula médica, y para su utilización simplemente siga las instrucciones que contiene el envase. Pida a su médico que le indique cómo realizar correctamente estos análisis.

*La mayoría de los análisis de orina se realizan en la siguiente forma:*

1. Introduzca la banda o cinta especial en una muestra de su orina. También puede orinar directamente sobre la banda o cinta, o colocar unas gotas de orina sobre la pastilla.

2. Espere para ver si la cinta, banda o pastilla cambia de color. Las instrucciones le indicarán cuánto tiempo tiene que esperar. Es posible que sea entre 10 segundos y 2 minutos.

3. Compare el color de la cinta, banda o pastilla con la carta de colores que trae el envase.

4. Lleve un registro de los resultados. Conviene que registre el tipo de análisis, la fecha y la hora, el resultado y cualquier cosa fuera de lo común; por

ejemplo, es posible que se le haya olvidado aplicarse la insulina.

## Qué hacer con los resultados:

*Si muestran indicios o pequeñas cantidades de cetonas*

1. Beba un vaso de agua cada hora.

2. Practíquese los análisis de glucosa y cetonas cada 3 ó 4 horas.

3. Si los niveles de glucosa y de cetonas no empiezan a bajar después de realizarse dos análisis adicionales, llame a su médico.

*Si muestran la presencia de cantidades medianas o grandes de cetonas*

1. ¡Llame inmediatamente a su médico! No espere. Si espera, es posible que sus niveles de cetona alcancen cifras muy altas.

## HHNS

Esta abreviatura identifica lo que se conoce como Síndrome hiperglicémico hiperosmolar no cetoacidótico, condición muy grave que indica la presencia de altos niveles de glucosa en sangre y deshidratación severa. Cualquier persona que sufra de diabetes tipo 2 puede desarrollar esta condición, pero ella no se presenta de repente; por lo general es consecuencia de una situación distinta, como una enfermedad, un ataque cardiaco o quemaduras severas en varias partes del cuerpo.

Cuando se presenta este síndrome, los niveles de glucosa en sangre se elevan y el organismo trata de deshacerse del exceso de glucosa pasándola a la orina. Esto hace que la orina se vuelva más densa y que el organismo comience a tomar líquidos de todas partes para adelgazar la orina. Se producen entonces grandes cantidades de orina y la persona empieza a sentir mucha sed y a eliminar con más frecuencia, y si no ingiere la suficiente cantidad de líquidos en ese momento, puede deshidratarse.

Si esta situación continúa, la deshidratación severa puede producir ataques, coma e, incluso, la muerte. Por lo general, este síndrome tarda varios días, o incluso semanas, en desarrollarse. Si usted está enfermo, tome un vaso de cualquier líquido (libre de alcohol y cafeína) cada hora y hágase pruebas de glucosa en sangre con más frecuencia.

## Señales de alarma

- Niveles de glucosa en sangre superiores a 600 mg/dl
- Extrema resequedad en la boca
- Sed intensa (aunque puede ir desapareciendo poco a poco)
- Sequedad y sensación de calor en la piel, que no suda
- Fiebre alta (39 ó 40 °C, por ejemplo)
- Somnolencia o confusión
- Pérdida de la visión
- Alucinaciones
- Debilidad en un lado del cuerpo

# Cigarrillo

Dejar de fumar es benéfico para usted, no sólo en lo que se refiere al cuidado de su diabetes sino a su salud en general. Sus niveles de glucosa en sangre y su tensión arterial bajan cuando usted deja de fumar. Lo mismo sucede con su colesterol LBD (el malo) y sus triglicéridos. Por el contrario, su colesterol LAD (el bueno) mejora, al igual que su aspiración de oxígeno. Incluso aumenta su esperanza de vida.

Al dejar de fumar reduce los riesgos de enfermedades cardiacas, vasculares, de los riñones, del sistema nervioso, de los dientes y de la boca. También disminuye el riesgo de contraer un cáncer (en la boca, la garganta, los pulmones y la vejiga), de aborto o de que el niño nazca muerto, de padecer limitación del movimiento articular, de sufrir de resfriados, bronquitis y enfisema.

Al dejar de fumar incluso es posible que reduzca el riesgo de presentar resistencia a la insulina (es decir, de que su organismo no responda a la insulina). Por eso no nos sorprende que la gente siempre intente dejar de fumar. A continuación le ofrecemos algunos consejos útiles.

# Antes de dejar el cigarrillo

- Lleve un registro escrito de cada cigarrillo que se fuma en la semana, anotando qué sucedió en ese momento, qué estaba haciendo o qué iba a empezar a hacer. Conserve este registro.

- Escriba las razones que tiene para dejar de fumar. Lea esta lista todos los días de la semana hasta que deje de fumar.

- Escoja un día para dejar de fumar y anótelo en su libreta. Procure que sea un día sin muchas presiones, así el estrés no le proporcionará una tentación adicional para posponer su decisión. Incluso sería bueno que lo hiciera en un período en que no esté trabajando.

- Cuente a quienes lo rodean que piensa dejar el cigarrillo. Haga de sus familiares, amigos y compañeros de trabajo sus aliados. Dígales cómo pueden ayudarlo; por ejemplo, pídales que no le ofrezcan cigarrillos si van a fumar. Quizá también pueda decirles qué pueden esperar ellos de usted, los primeros días después de que haya dejado de fumar.

- Escoja un método para dejar el cigarrillo. Hay muchas maneras de hacerlo, pero no todas funcionan para todos. Es posible que su equipo asesor en el cuidado de su diabetes le ayude a encontrar el método que le sirva a usted. Puede ser "parando en seco". Puede ser paulatinamente, usando parches o chicles de nicotina. La hipnosis ha ayudado a algunas personas. Para otras, la acupuntura ha sido muy importante en sus esfuerzos, puesto que les ayuda a no sentir con tanta intensidad las ansias de fumar.

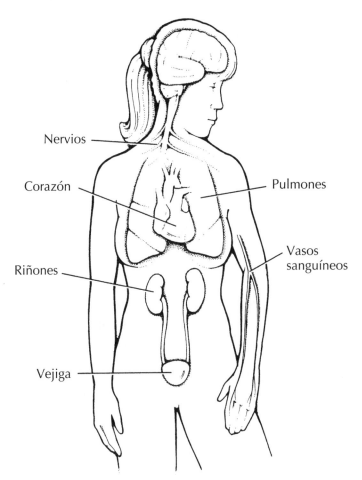

Nervios

Corazón

Pulmones

Vasos
sanguíneos

Riñones

Vejiga

Fumar puede producirle lesiones en el corazón, los pulmones, los vasos sanguíneos, los nervios, los riñones y la vejiga.
Fumar aumenta los riesgos de ataque cardiaco, accidente cerebrovascular, abortos y muerte del niño al nacer.

- Como dejar de fumar es más fácil en compañía de otras personas, piense en la posibilidad de integrarse a un grupo de apoyo. Averigüe en los hospitales de su localidad o en las filiales de asociaciones de lucha contra el cáncer o contra enfermedades pulmonares y del corazón, si cuentan con grupos de apoyo.

- Practique la respiración profunda. Las cintas o casetes de relajación también pueden serle útiles.

- Tenga una buena provisión de verduras crudas y otros alimentos bajos en grasa y calorías para sus refrigerios. Es posible que experimente un aumento del apetito después de dejar de fumar, y esto le hará ganar peso (el promedio son tres y medio kilos). Quizá sienta fuertes ansias de comer alimentos dulces.

- Empiece su programa de ejercicios unas semanas antes de dejar de fumar. Si usted desarrolla más actividad, se sentirá con más energías para combatir el síndrome de abstinencia y, además, le ayudará a no engordar. El ejercicio puede ocupar el lugar del cigarrillo o ayudarle a controlar las ganas de comer. Procure caminar rápido, montar en bicicleta o nadar.

- Prémiese los éxitos logrados en sus esfuerzos por dejar de fumar. Por ejemplo, programe practicar su juego predilecto una semana, e ir al cine la otra.

## Cuando deja de fumar

Es posible que sufra el síndrome de abstinencia durante varios días o semanas. La tabla que incluimos más adelante enumera una serie de síntomas que usted puede experimentar e indica cómo manejarlos.

## Después de que deja de fumar

Los primeros tres meses después de dejar de fumar son los más difíciles. Muchas personas vuelven a fumar dentro de este período. Ensaye las siguientes tácticas para lograr mantener su propósito.

- Vuelva a leer la lista que hizo de las actividades o actos sociales en los cuales solía estar presente el cigarrillo. Cuando surja alguno de ellos, eluda asistir. Por ejemplo, si fumaba siempre en las fiestas, deje de asistir a ellas por un tiempo.

  Si le es imposible prescindir de algún acto social, trate de sustituir el cigarrillo por alguna otra cosa. Sostenga algo en sus manos; por ejemplo, una sarta de cuentas, una piedra pulida o una pluma estilográfica. Colóquese algo en la boca (puede ser un palillo). Mastique chicle o hielo.

- Si acostumbra a fumar para relajarse, trate de buscar otra actividad que le produzca el mismo efecto. Pueden ser ejercicios de respiración profunda o de relajación. Si fuma para animarse, camine o haga ejercicio de estiramiento.

- Tire sus cigarrillos, colillas, encendedores, fósforos y ceniceros.

- Ponga su lista de razones para dejar de fumar en donde solía tener los cigarrillos.

- Lea su lista de razones para dejar de fumar. Recuérdese a sí mismo que no quiere fumar.

- Recuerde que lo único que necesita para volver a ser fumador es un cigarrillo. No fume ni siquiera uno.

- Haga una lista de las cosas que le gustan de no fumar.

- Si le intranquiliza la posibilidad de ganar peso, consulte con su dietista para ver si puede cambiar sus planes alimentarios y de ejercicios.

## Síndrome de abstinencia

| Síntoma | Duración | Solución |
| --- | --- | --- |
| Ganas de fumar | Intensas las primeras dos semanas. Después, según las situaciones. | Haga alguna otra cosa. |
| Los niveles de glucosa suben y bajan. | Varía | Haga un seguimiento más intenso. |
| Se siente irritable, tenso, con los nervios de punta. | Varias semanas | Tómese un descanso, salga a caminar. Escuche un casete de relajación. |
| Dificultad para concentrarse o sensación de estar "fuera de lugar". | Varias semanas | Distribuya las tareas largas en sesiones cortas. Tome breves descansos. |
| Se siente con exceso de energía o experimenta desasosiego. | Varía | Haga ejercicio. |
| Experimenta sensación de somnolencia durante el día. | 2 a 4 semanas | Salga a caminar o tome una siesta. |

## Síndrome de abstinencia

| Síntoma | Duración | Solución |
| --- | --- | --- |
| Se le dificulta dormir por la noche. | Menos de 7 días | Ensaye la respiración profunda. Evite la cafeína después de las 5 p.m. |
| Estreñimiento | 3 a 4 semanas | Añada fibra (frutas y verduras crudas, pan totalmente integral y cereales) a su dieta. Beba de 6 a 8 vasos de agua al día. |
| Tos persistente | Menos de 7 días | Tome sorbos de agua. |
| Dolor de cabeza, náuseas o sudoración. | Pocos días | Pruebe con un baño caliente o con ratos de descanso. |
| Ansias de comer dulces. | Varias semanas | Coma un refrigerio con pocas calorías. |

# Cómo enfrentar la diabetes

La diabetes nunca desaparece; ni siquiera toma vacaciones. Es una enfermedad crónica que se puede controlar pero nunca curar. La diabetes no sólo le causa dificultades a su cuerpo sino también a su mente.

Es posible que en ocasiones tienda a negarse a sí mismo que tiene diabetes, pero en otras puede tender a deprimirse o a sentir ira a causa de ella. Esto es perfectamente normal, y esas sensaciones pueden, en cierta forma, ayudarlo a enfrentar el hecho de que tiene diabetes. Son sentimientos que forman parte del proceso que usted tiene que atravesar antes de asumirla.

La aceptación de la diabetes implica asumir la responsabilidad de su manejo para mantenerse saludable y vivir una vida plena. Aceptarla quiere decir que usted no la pasa por alto, impidiendo así que se transforme en un problema de salud mucho más serio.

La mejor forma de enfrentar la diabetes es aceptarla, pero ¿qué pasa si de pronto usted se queda anclado en alguna de las etapas del proceso? Si se queda en la negación, en la ira o en la depresión por un período muy largo, es posible que descuide su enfermedad.

## Negación

Casi todas las personas atraviesan un período de negación a partir del momento cuando se les diagnostica la diabetes, pero el verdadero problema consiste en continuar en esta actitud, puesto que si el hecho no se enfrenta, nunca se aprenderá lo que es necesario para conservarse en buen estado de salud. Una forma de negar, al menos en parte, los cuidados que su diabetes le exige, es atender a su voz interior cuando le dice:

"Un poquito de esto no te hará daño".
"Esta herida se curará sola".
"Iré al médico un poco después".
"No tengo tiempo para hacerlo".
"Mi diabetes no es grave".
"Me tomaré solamente una tableta; yo no me dejo inyectar".
"Mi seguro médico no cubre esto".

### Superar el período de negación

- Lleve un registro de su plan de cuidados para su diabetes, y de sus objetivos en relación con su salud. Tome conciencia de que cada uno de los pasos de este programa es igualmente importante. Acepte que alcanzar sus objetivos le tomará tiempo.

- Hable con quien esté dirigiendo su plan de educación para atender su diabetes. Juntos podrán determinar un programa más adecuado.

- Informe a sus familiares y amigos cuál es su plan de cuidados y dígales cómo lo pueden ayudar.

# Ira

La ira es un sentimiento poderoso; si usted no se vale de él, terminará siendo su presa. Para lograr controlarla, aprenda a conocerla y lleve un diario acerca de sus manifestaciones; escriba cuándo la sintió, en dónde estaba y con quién, por qué la sintió y qué hizo. Después de unas pocas semanas, vuelva a leerlo. Trate de comprender su ira y por qué la sintió. Por lo general, bajo esas expresiones de ira están sus sentimientos heridos.

Cuanto mejor entienda por qué siente ira, mayores posibilidades tendrá de controlarla. Sólo usted puede decidir cómo utilizarla; por tanto, lo mejor sería que pensara en hacerlo de manera que le aporte algo a usted la próxima vez que la experimente.

## *Cómo controlar la ira*

**Trate de disiparla.** Hable lenta, profundamente, tome un trago de agua, siéntese, recuéstese manteniendo las manos sueltas y extendidas a los lados.

**Déjela ir.** Realice alguna actividad física como salir a trotar e, incluso, recoger las hojas secas del jardín. Llore viendo una película triste. Escriba en una hoja de papel lo que quisiera decir o gritar.

**Réstele importancia.** Pregúntese qué tan importante es en realidad el episodio que está viviendo. Hay algunas cosas tan triviales, que de verdad no justifican su enojo.

***Ríase de ella.*** Búsquele el lado divertido; en algunos casos la risa logra desplazar la ira.

***Déjese fortalecer por ella.*** La ira puede darle valor para asumirse y hablar por sí mismo, o para reaccionar y defender a alguna otra persona.

## Depresión

Sentirse decaído una que otra vez es absolutamente normal. Pero estar totalmente agobiado y sin esperanzas durante dos o más semanas puede ser señal de una depresión seria.

*Es posible que esté bajo una depresión si:*

- Ya no le interesan ni le complacen cosas que solían proporcionarle placer.
- Le cuesta mucho dormirse, se despierta con frecuencia durante la noche, o siente deseos de dormir más tiempo que el normal.
- Se despierta más temprano que de costumbre y no puede volver a dormirse.
- Come más, o menos que lo acostumbrado. Engorda o adelgaza demasiado rápido.
- Le cuesta mucho concentrarse y se distrae fácilmente.
- Siente que carece de energías; experimenta cansancio todo el tiempo.
- Se siente tan nervioso o ansioso que no puede estarse quieto.
- Experimenta menos interés por la actividad sexual.
- Llora a menudo.

- Siente que no logra hacer nada bien y se considera una carga para los demás.

- Se siente peor y más triste por las mañanas que en el resto del día.

- Siente deseos de morir o busca formas de hacerse daño.

Si experimenta tres o más de estos síntomas, busque ayuda. Si experimenta uno o dos de estos síntomas y se ha estado sintiendo mal durante dos o más semanas, busque ayuda.

## La ayuda para la depresión

En primer lugar, consulte con su médico. Es posible que su depresión tenga una causa física; cuando hayan descartado ésta, su médico podrá enviarlo a un especialista en salud mental. El tratamiento puede comprender orientación psicológica o antidepresivos, o quizás ambos.

## Cómo convivir con la diabetes

Una vez superadas las posibles etapas de negación, ira o depresión, está en camino para aceptar su diabetes, que es el primer paso para enfrentarla y poder convivir con ella.

*Acepte que usted es responsable de cuidarse.* La única persona que puede decidir qué va a comer, qué ejercicios y por cuánto tiempo los va a realizar, como también cuándo practicarse los análisis de glucosa, es usted. Una vez que acepta todo esto, ya está controlando de verdad su situación.

*Aprenda cuanto pueda acerca de la diabetes.* Busque contacto o afíliese a la Asociación de Diabéticos más cercana a su residencia, donde le podrán prestar mucha ayuda. Lea, haga preguntas, tome cursos para diabéticos. Hágase miembro de algún grupo de apoyo.

*Comparta lo que ha aprendido con sus familiares y amigos.* Cuanto más sepan, ellos estarán en mejores condiciones de ayudarlo. Comuníqueles cómo se siente y qué significa para usted tener diabetes.

*No descuide ni sus pasatiempos favoritos, ni sus actividades, ni sus deportes.* Así podrá demostrar, no sólo a los demás sino a sí mismo, que aún es la misma persona. Todavía puede divertirse muchísimo.

# Complicaciones

Se denominan complicaciones los problemas médicos que presentan con mayor frecuencia las personas con diabetes. Éstas pueden ser enfermedades de los ojos, afecciones renales, lesiones en los nervios y enfermedades vasculares (véanse los artículos correspondientes a estos temas).

Su mejor defensa contra las complicaciones es mantener los niveles de glucosa lo más cerca posible de lo normal. Los niveles normales son los que presentan quienes no tienen diabetes. Cuanto más cercanos a ellos estén los suyos, mayores posibilidades tendrá de prevenir o demorar las posibles complicaciones. Esto se comprobó a través del experimento de seguimiento del control de la diabetes y sus posibles complicaciones (*The Diabetes Control and Complications Trial*).

## Experimento de seguimiento del control de la diabetes y sus posibles complicaciones

Este trabajo, cuya duración fue de diez años (1983-1993),

contó con el auspicio de los Institutos Nacionales de la Salud de Estados Unidos. Con él se pudo determinar que quienes tenían diabetes tipo 1 y lograron mantener sus niveles de glucosa cerca de los normales tuvieron menos complicaciones que quienes presentaron niveles más altos de glucosa.

Se estudiaron las complicaciones que se presentaron en 1.441 personas con diabetes tipo 1. Algunas de ellas seguían las terapias corrientes y otras se sometieron a terapias mucho más intensivas.

Quienes se sometieron a las terapias corrientes tenían que aplicarse una o dos ampolletas de insulina al día. Su dosis permaneció igual y se aplicaban las inyecciones todos los días a las mismas horas. Se practicaban frecuentemente los análisis de glucosa en la orina o en la sangre. La mayoría de las personas sometidas a la terapia regular presentaron niveles de glucosa superiores a los normales, pero sin llegar a niveles demasiado altos o demasiado bajos.

Quienes se sometieron a la terapia intensiva se aplicaban tres o más ampolletas de insulina al día o usaban una bomba de insulina (véase *Bombas de insulina*), se practicaban los análisis de glucosa en sangre cuatro o más veces al día y modificaron sus dosis de insulina, las cantidades de alimentos que ingerían y el ejercicio que solían practicar.

Quienes se sometieron a la terapia intensiva presentaron niveles de glucosa en sangre más cercanos a los normales, pero también experimentaron muy fuertes bajas de los niveles de glucosa, con una frecuencia tres veces mayor de la que experimentaron quienes estaban sometidos a terapias corrientes. Por otra parte, ganaron más peso que ellos.

## Qué sentido puede tener para usted el resultado de esta investigación

Consulte con su médico sobre las implicaciones que puede tener para usted esta investigación. Quizá desee llevar un control más estricto, lo que le ayudaría a mantener sus niveles de glucosa cercanos a lo normal, para lo cual hay más de una vía. Su médico, conjuntamente con usted, puede llegar a determinar un programa que se adapte a sus necesidades, el cual dependerá del tipo de diabetes que tenga.

Si mantiene un control estricto de los niveles de glucosa en su sangre y aun así tiene complicaciones, lo más probable es que éstas no se presenten muy pronto y que sus manifestaciones sean más leves. Si la complicación ya se ha presentado, mantener controles estrictos puede evitar que ésta adquiera proporciones más graves.

## Cómo enfrentar las complicaciones

Adquiera la mayor información posible sobre la complicación que presenta. Cuanto más sepa acerca de ella, mayores posibilidades tendrá de mantener la situación bajo control.

- *Hable con sus familiares y amigos.* Hágales saber lo que pasa y dígales cómo pueden ayudarlo.

- *Busque asesoría.* Si se le dificulta abordar el tema con familiares y amigos, quizá sea conveniente que busque la asesoría de un trabajador social o de un psicólogo.

- *Intégrese a un grupo de apoyo.* Algunas personas

que están pasando por la misma experiencia pueden brindarle apoyo moral; además, es posible que le proporcionen nuevas ideas acerca de opciones adicionales en relación con el tratamiento o con nuevos especialistas. Con seguridad, su médico o la *Asociación de Diabéticos* de su localidad estarán en condiciones de ayudarle a encontrar un grupo de apoyo.

- *Consulte con un especialista.* Considere la posibilidad de consultar con un especialista, alguien que se dedique específicamente a tratar la complicación que usted presenta. Es posible que su propio médico lo pueda derivar a uno.

- *Plantee al especialista sus inquietudes en relación con los tratamientos.* ¿Qué tratamientos hay? ¿Cuáles son los efectos secundarios? ¿Cuánto cuestan? ¿Cuántos pacientes con este problema ha tratado? ¿Qué ha pasado con ellos?

- *Busque una segunda opinión.* Consulte con su entidad promotora de salud, o con su seguro. Es posible que una consulta de este tipo esté comprendida en el contrato.

- *Busque organizaciones que trabajen en pro de quienes sufren un problema similar al suyo.*

- *Tenga un pensamiento positivo.* Pensar positivamente respecto a lo que le concierne y a las cosas que se le presentan en la vida puede hacer su existencia más feliz, e incluso un poco más larga. Concentrar su pensamiento en las cosas que no le gustan, le irritan o le entristecen puede hacer más difícil no sólo su vida sino la de sus seres queridos.

# Cuidado de la dentadura

Los diabéticos corren riesgos de tener problemas con las encías y son susceptibles a otras infecciones de la boca. Si a usted se le presenta una infección, es posible que experimente un alza en su nivel de glucosa en sangre. Puede protegerse si conoce cuáles son los primeros síntomas de la enfermedad de las encías y de las otras infecciones locales, y si sabe cómo cuidar sus dientes.

## Enfermedad de las encías

La enfermedad de las encías es producida por una infección de éstas. Lo primero que usted notará son unas placas blancas, las cuales están constituidas por una capa de gérmenes que se forma inicialmente en los dientes y se asienta en la unión del diente con la encía. Si usted no se cepilla correctamente los dientes y no utiliza el hilo dental, estas placas se endurecen y forman un cálculo que se extiende hacia el interior de su encía. Esto da origen a la formación de placa adicional, y tanto ésta como el cálculo tienden a irritar la encía, la cual se pondrá enrojecida, inflamada y muy sensible. Cuando esto sucede, hasta el más suave cepillado hace sangrar las encías. Este problema, conocido como gingivitis, puede empeorar si no le presta atención.

Cuando la gingivitis se agrava, la encía empieza a separarse de los dientes; incluso puede llegar el momento cuando se hará visible parte de la raíz de los dientes o éstos se verán más largos. Entre los dientes y las encías se formarán una especie de bolsas, las cuales se llenarán de gérmenes y pus. La enfermedad resultante se conoce como periodontitis.

Cuando esto sucede, es posible que, para salvar los dientes, se haga necesaria una intervención quirúrgica. Si no se hace nada, la infección incluso puede llegar a destruir el hueso de la mandíbula. Es posible que los dientes se empiecen a aflojar hasta caerse o necesitar que sean extraídos. Si conoce las señales de alerta, usted estará en condiciones de no dejar que el problema adquiera estas proporciones.

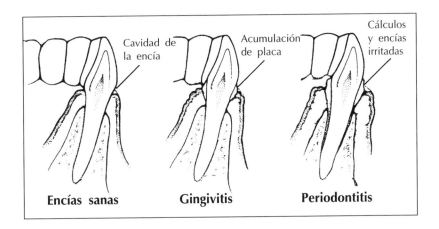

Cavidad de la encía

Acumulación de placa

Cálculos y encías irritadas

**Encías sanas**        **Gingivitis**        **Periodontitis**

## Síntomas de la enfermedad de las encías

- Enrojecimiento de las encías.

- Inflamación o irritación de las encías.
- Encías que sangran al cepillarse o al utilizar la seda dental.
- Separación de las encías y los dientes.
- Formación de bolsas de pus entre los dientes y las encías. El pus sale si se hace un poco de presión sobre la encía.
- Mal aliento.
- Dientes flojos.
- Dientes que tienden a separarse unos de otros.
- Modificación en la forma como sus dientes encajan unos con otros al morder.
- Cambio en el ajuste de sus prótesis dentales parciales.

**Si presenta alguno de estos síntomas, visite a su odontólogo.**

## Otras infecciones bucales

Las infecciones bucales suelen afectar áreas pequeñas, pues por lo general no se presentan en toda la boca. Pueden ser producidas por gérmenes o por hongos. Conozca las señales de alerta.

### *Señales de alerta de infección bucal*

- Inflamación alrededor de los dientes, en las encías o en cualquier parte de la boca.
- Pus alrededor de los dientes, en las encías o en cualquier parte de la boca.
- Aparición de manchas blancas o rojas en cualquier parte de la boca.
- Dolor persistente en la boca o en los senos nasales.

- Formación de manchas negras o de huecos en sus dientes.

- Dolor de dientes al contacto con alimentos fríos, calientes o dulces.

- Dolor al masticar.

**Si tiene alguno de estos síntomas, consulte con su odontólogo.**

# Cómo proteger su dentadura

*Controle el nivel de glucosa en sangre.* Si usted mantiene su glucosa en sangre dentro de niveles saludables, disminuirá el riesgo de enfermedad de las encías y de otras infecciones locales.

*Mantenga sus dientes limpios.* Cepíllese los dientes con una pasta dental con flúor al menos dos veces al día, o mejor, después de cada comida. Tenga cuidado de no cepillarse demasiado duro, porque puede maltratar sus encías. Un cepillo suave con cerdas redondeadas y pulidas es más delicado con sus encías. Asegúrese de cambiar su cepillo de dientes cada 3 ó 4 meses, o incluso antes, si nota que está desgastado.

Utilice seda dental al menos una vez al día. Si no le gusta emplear seda dental, emplee palillos; de esta manera usted limpia la placa y los residuos de comida que se adhieren a la superficie de sus dientes.

*Visite al odontólogo.* Hágase practicar una limpieza general de sus dientes cada 6 meses. Ésta la practica ya sea el odontólogo o su auxiliar. Con esta limpieza se deshace tanto de la placa como del cálculo. Solicite a su odontólogo que le tome radiografías de toda la boca cada 2 años, para verificar que no haya pérdida de hueso. La periodontitis no se manifiesta abiertamente en todas las personas. Informe a su odontólogo que usted tiene diabetes.

# Cuidado de la piel

La diabetes puede dar origen a afecciones de la piel, algunas de las cuales también pueden presentarse en cualquier persona, pero con más facilidad en los diabéticos. Entre ellas figuran las infecciones bacterianas y las producidas por hongos. Otras afecciones que se presentan con más frecuencia en los diabéticos son la dermopatía diabética y la esclerosis digital.

## Infecciones bacterianas

Hay tres infecciones bacterianas que los diabéticos contraen con facilidad: los orzuelos, los forúnculos y los ántrax. Todos ellos, en la mayoría de los casos, son causados por estafilococos, y todos se manifiestan como unas protuberancias dolorosas, de color rojizo y llenas de pus.

Un orzuelo es una glándula del párpado infectada. Un forúnculo es una raíz del pelo o glándula de la piel infectada. Un ántrax es una acumulación de forúnculos. Los forúnculos y los ántrax con frecuencia se presentan en la nuca, las axilas, las ingles o las nalgas.

Si usted cree tener un orzuelo, un forúnculo, un ántrax

o cualquier otra infección bacteriana, consulte con su médico.

# Infecciones causadas por hongos

Las infecciones causadas por hongos que los diabéticos contraen con más facilidad son el eccema marginado, el pie de atleta, la culebrilla y las infecciones vaginales.

Se conoce por eccema marginado el enrojecimiento de una zona de la piel comprendida desde los genitales hasta el interior de los muslos y que produce comezón. Es más común en los hombres que en las mujeres.

En el pie de atleta, se produce comezón y dolor en la piel entre los dedos de los pies. Es posible que la piel se raje y pele o que se ampolle.

La culebrilla es una mancha en forma de anillo, rojiza y escamosa, que puede producir escozor o ampollarse. Aparece en los pies, las ingles, el cuero cabelludo o el tronco.

Las infecciones vaginales son ocasionadas a menudo por el hongo *Candida albicans,* que causa un flujo abundante y blanquecino que produce comezón, ardor o irritación en la vagina.

Si usted cree tener una infección producida por hongos, consulte con su médico.

# Dermopatía diabética

La dermopatía diabética afecta aproximadamente a un 60% de los hombres mayores de 50 años con diabetes, y a un 29% de las mujeres diabéticas, mayores de 50 años. Produce manchas escamosas de color rojo o marrón en la parte anterior de las piernas. La dermopatía diabética es inofensiva y no necesita tratamiento.

La dermopatía diabé-
tica produce manchas
escamosas de color
rojo o marrón en la
parte anterior de las
piernas.

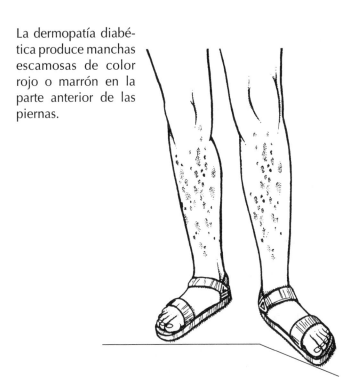

## Esclerosis digital

La esclerosis digital afecta a un 35% de los diabéticos. La palabra *digital* se refiere a los dedos de las manos y los pies. La palabra *esclerosis* quiere decir 'endurecimiento'.

La esclerosis digital produce un endurecimiento y engrosamiento de la piel de las manos y de los dedos de manos y pies. Éstos adquieren una apariencia cerosa o brillante. La esclerosis puede producir dolor y entumecimiento de los dedos.

Mantener controlados los niveles de glucosa puede ayudar a demorar la esclerosis digital o a hacer más lento su avance. Las pastillas analgésicas y los antiinflamatorios pueden aliviar las articulaciones doloridas.

La esclerosis digital puede dificultar el movimiento de presionar los dedos de las manos unos con otros.

# Para conservar su piel sana

- *Mantenga controlada su diabetes.* Los altos niveles de glucosa en sangre lo hacen a usted más susceptible de adquirir infecciones bacterianas o por hongos. También los altos niveles de glucosa en sangre tienden a resecar la piel.

- *Mantenga la piel limpia.* Tome duchas o baños con agua tibia, nunca con agua caliente porque ésta puede contribuir a resecar aún más su piel.

- *Humecte las partes secas de su piel.* Utilice cremas y jabones humectantes. Trate de mantener una relativa humedad en su casa durante los meses secos y fríos. Beba bastante agua; esto le ayudará a humectar la piel.

- *Mantenga secas las otras partes de su piel.* Las zonas donde hay contacto de piel con piel necesitan estar siempre secas. Éstas son las zonas entre los dedos de los pies, debajo de los brazos y en las ingles.

Aplicar polvos de talco en estas zonas puede contribuir a mantenerlas secas.

- **Proteja su piel del sol.** El sol puede resecar y quemar la piel. Si se va a exponer al sol use protectores solares a prueba de agua y de sudor, con un mínimo de 15 SPF (factor de protección solar). Llevar un sombrero también ayuda.

- **Preste atención a los problemas de la piel.** Se pueden utilizar los productos disponibles en los supermercados y en las tiendas para tratar los problemas de la piel. Sin embargo, es mejor consultar con su médico antes de iniciar cualquier tratamiento para la piel. Consulte con un dermatólogo si los problemas no desaparecen.

# Cuidado de los pies

Los diabéticos pueden tener una gran variedad de problemas con los pies, que pueden llegar a ser muy graves, aunque en su fase inicial no tengan ninguna importancia.

## Mala circulación

La diabetes puede estrechar y endurecer los vasos sanguíneos de los pies (véase *Enfermedad vascular*). Es claro que esto puede disminuir el flujo sanguíneo y, si no hay suficiente circulación de sangre hacia los pies, éstos pueden permanecer fríos y tomar un color azuloso o inflamarse. También es posible que disminuya su capacidad de luchar contra las infecciones y que las heridas tiendan a sanar con más lentitud. Hay ocasiones cuando las heridas definitivamente no se curan.

## Lesión del sistema nervioso

La lesión del sistema nervioso puede producir cierta insensibilización de los pies; éstos pueden no sentir el dolor, el calor o el frío. En consecuencia, los pies se tornan vulnerables a cualquier tipo de herida pero incapaces de registrarla.

La lesión del sistema nervioso puede llegar a afectar los nervios que producen la sudoración y, en consecuencia, la piel de los pies puede volverse reseca y con apariencia escamosa, lo que puede dar origen a peladuras y grietas.

La lesión del sistema nervioso puede también producir deformaciones en los pies. Los dedos pueden tender a curvarse. El empeine puede hacerse más prominente y el arco más elevado. Debido a estas modificaciones, es posible que algunas de las partes de los pies se vean obligadas a soportar mayor peso, lo que las hace susceptibles a la formación de callos.

## Callos

Los callos son zonas de piel gruesa y dura. Si no se extirpan o desbastan, pueden llegar a ser muy gruesos; por tanto, corren el riesgo de agrietarse y transformarse en úlceras.

## Úlceras

Cuando una llaga o herida de la piel no sana a tiempo, puede transformarse en úlcera. Las úlceras del pie se forman generalmente en la planta o en la parte inferior del dedo gordo, en el talón o en cualquiera de los dedos.

Las úlceras pueden producirse cuando una cortadura, un callo o una ampolla no se atienden debidamente. Los zapatos apretados tienden a producir úlceras. Éstas pueden ser muy dolorosas, pero si usted tiene una lesión nerviosa, es posible que no sienta nada. Cuando una úlcera se descuida, se puede infectar, y si esto sucede incluso hay peligro de que se llegue a presentar una gangrena, lo que implica la necesidad de amputar el miembro afectado.

# Gangrena y amputación

Si los tejidos vivos de la piel mueren, hay gangrena. Los tejidos muertos adquieren un color negro. Hay dos tipos de gangrena: seca y húmeda. La gangrena seca puede ser producida por una circulación deficiente, y la húmeda puede ser producida por una úlcera infectada o por la gangrena seca.

Se denomina amputación a la remoción de las partes muertas. Según el caso, es posible que se necesite amputar uno o varios dedos, el pie o parte de éste.

# Cómo prevenir problemas en los pies

- Mantenga la glucosa en los niveles ideales. Si usted tiene permanentemente los niveles más altos que lo normal, corre el riesgo de tener problemas en los pies.

- Si fuma, trate de dejar el cigarrillo. Éste produce efectos muy negativos en sus vasos sanguíneos, limita el flujo de la sangre a sus pies y hace que las heridas se curen más lentamente. Si esto no es suficiente para motivarlo a dejar el cigarrillo, lea la siguiente advertencia:

  **Casi todas las personas con diabetes que tienen que someterse a la amputación de alguno de sus miembros son fumadoras.**

- Sométase a controles regulares de sus pies, para verificar cómo están sus vasos sanguíneos, sus músculos y si hay lesión nerviosa. Estos controles deben practicarse por lo menos una vez al año.

- Examine cuidadosamente sus pies todos los días. Si

usted no ve bien, pida a alguno de los miembros de su familia o a un amigo que le preste este servicio. Compárese un pie con el otro y cerciórese de que no tiene ninguno de los siguientes problemas:

| | |
|---|---|
| Heridas | Ampollas |
| Grietas | Fracturas |
| Raspones | Callos |
| Uñas encarnadas | Inflamación |
| Zonas enrojecidas | Cambios de color |
| Cambios de forma | Dolor |
| Partes frías | Pérdida de |
| Partes calientes | sensibilidad |
| Úlceras | Resecamiento |
| Pinchazos | Peladuras |

- Consulte con el médico si tiene algún problema en los pies, aunque sea aparentemente insignificante. Quítese los zapatos y medias en todas las consultas médicas habituales, para recordarle a su médico que debe examinarle los pies.

- Mantenga siempre los pies muy limpios. Lávelos y

séquelos muy bien; no olvide secar muy cuidadosamente el espacio entre un dedo y otro.

- No introduzca los pies en agua ni demasiado caliente ni demasiado fría. Verifique siempre la temperatura del agua introduciendo en ella el codo y evite dejar los pies en remojo; esto tiende a producir resecamiento de la piel.

- Corte las uñas de los dedos de los pies siguiendo la curva natural del dedo. Si se le dificulta hacerlo usted mismo, recurra a un pedicuro.

- Cámbiese de calcetines todos los días. Sáqueselos tirando suavemente o enrollándolos. Asegúrese de que sean del tamaño apropiado y de que no tengan roturas ni partes ásperas o gruesas. Compre calcetines sin costuras, pues el roce de éstas contra la piel  puede producirle ampollas.

- Compre zapatos de tamaño adecuado para sus pies. Tenga siempre presente que si el tamaño y la forma son los adecuados para sus pies, usted se sentirá cómodo al probárselos. Compre zapatos con tacón bajo y suela gruesa, porque éstas sirven de cojín para sus pies y los protegen de posibles lesiones. Prefiera zapatos firmes que le sostengan bien el pie, y asegúrese de que sus dedos tengan suficiente espacio en ellos. Cuando compre zapatos, acostúmbrese a ellos poco a poco.

- Revise sus zapatos antes de ponérselos, a fin de verificar que no han caído en ellos piedras, uñas, clips, alfileres ni ningún objeto afilado. Asegúrese de que su interior no está roto ni tiene los bordes ásperos.

# Consejos para atender problemas corrientes de los pies

*Si sus pies se mantienen fríos*
Lleve calcetines o medias abrigados. Nunca use botellas con agua caliente, ni mantas y almohadillas eléctricas; éstas pueden quemarle los pies sin que usted se dé cuenta.

*Si sus pies están resecos y escamosos*
Use una crema humectante, pero tenga cuidado de no aplicarla entre los dedos. La humedad exagerada, especialmente entre los dedos, puede dar origen a infecciones.

*Si sus pies sudan demasiado*
Use calcetines de seda o de polipropileno muy finos debajo de los de uso corriente. Éstos reducen la humedad y ayudan a impedir las irritaciones producidas por la fricción de materiales un poco más ásperos. Asegúrese de que sus zapatos sean lo suficientemente grandes como para sentir los pies cómodos aun llevando dos pares de calcetines.

*Si tiene callos*
No los corte usted mismo; acuda a un callista o a un podiatra. Si usted se los corta, corre el riesgo de herirse, lo cual puede dar lugar a úlceras e infecciones. Tampoco utilice ninguno de los productos químicos que se ofrecen para eliminar los callos, porque pueden quemarle la piel.

*Si ha perdido algo de sensibilidad en los pies*
No camine descalzo. Corre el riesgo de herírselos sin

darse cuenta. Es posible que su médico le recomiende utilizar plantillas o algún tipo de zapato especial. Cuando nade o vadee, ya sea en un río o en el mar, use zapatillas especiales para deportes acuáticos.

*Si su pies son extremadamente sensibles*

Use calcetines acolchados, que no sólo suavizan y protegen sus pies, sino que reducen el riesgo de la formación de callos. Con ellos se le facilita caminar, siempre y cuando los zapatos que lleve sean lo suficientemente amplios. Es posible que necesite comprar zapatos especiales; es decir, más profundos que los corrientes.

*Si sus pies están hinchados*

Use zapatos de atar, así puede apretarlos o aflojarlos según las necesidades.

# Diabetes
# de la gestación

La diabetes de la gestación consiste en un aumento de los niveles de glucosa en sangre en mujeres no diabéticas, que se presenta únicamente durante el embarazo. Por lo general aparece en la semana 24 del embarazo. En esta época el organismo está produciendo una gran cantidad de hormonas para ayudar al crecimiento del bebé. Se cree que éstas bloquean la insulina. Cuando algún elemento en el organismo no permite que la insulina cumpla su cometido, se dice que hay resistencia a la insulina.

En la mayoría de los casos el organismo de la mujer embarazada produce suficiente insulina para superar la resistencia a ella. Sin embargo, se dan casos donde la insulina producida por el organismo de una mujer embarazada no logra superar la resistencia a la insulina. Esta situación se conoce como diabetes de la gestación. La mayoría de las mujeres que presentan este problema dan a luz hijos saludables, pero es muy importante que se sometan a un control prenatal muy estricto.

# Usted está en riesgo de sufrir diabetes de la gestación si:

* Tiene exceso de peso.
* Hay antecedentes de diabetes en su familia.
* Ha dado a luz un bebé de 4.500 gramos o más.

La diabetes de la gestación puede causarles dificultades tanto a usted como a su bebé. Si la afección no se trata cuidadosamente durante el embarazo, hay posibilidades de que se le presenten los problemas que mencionaremos en los párrafos siguientes.

## Macrosomía o gigantismo

La macrosomía o gigantismo a veces se presenta cuando los niveles de glucosa durante el embarazo son muy altos, puesto que el exceso suele acumularse en el bebé, quien entonces produce cantidades extras de insulina. El exceso de glucosa y de insulina hacen que el bebé crezca y engorde más de lo normal, lo que tiende a dificultar el parto. Los bebés cuyo tamaño excede los patrones normales suelen presentar problemas de salud.

## Hipoglucemia

La hipoglucemia aparece cuando los niveles de glucosa en sangre están por debajo de los normales. Si usted presenta niveles de glucosa muy altos antes o durante el trabajo de parto, existe el riesgo de que su bebé muestre bajos niveles de glucosa al nacer. El excedente de glucosa que se ha formado en la sangre de la madre es transferido al bebé, razón por la cual éste produce más insulina.

Después del parto, ya no recibe el exceso de glucosa producida por usted. Por tanto, el exceso de insulina contenida en la sangre del niño produce una baja en su nivel de glucosa. La hipoglucemia del bebé puede ser atendida en el hospital inmediatamente después de su nacimiento.

## Ictericia

Antes del nacimiento, el bebé produce muchos glóbulos rojos que no necesita después del nacimiento; por tanto, su hígado desecha el exceso de glóbulos rojos y los elimina. Si el hígado del bebé no ha madurado suficientemente, es posible que se le dificulte realizar esta operación; por esto los glóbulos rojos sobrantes y los residuos que éstos puedan producir permanecen en el cuerpo del bebé.

Un desecho de los glóbulos rojos es la bilirrubina, que da a la piel del bebé un color amarillento. Esto se conoce con el nombre de ictericia, la cual se atiende con facilidad en el hospital utilizando luces especiales, pero puede llegar a ser peligrosa si no se ataca a tiempo. Si observa en su bebé señales de ictericia, consulte con el médico antes de salir del hospital.

## Aumento de las cetonas

Las cetonas se producen cuando el organismo quema grasa acumulada para generar energía. Si se presentan altos niveles de cetona, esto puede causar daño al bebé. Las cetonas tienden a acumularse cuando la madre no está consumiendo las cantidades de comida que necesitan tanto ella como el bebé. Procure consumir sus comidas principales y sus refrigerios dentro de horarios regulares.

# Preeclampsia

La preeclampsia, también conocida como toxemia, se presenta cuando la tensión arterial está muy alta, hay hinchazón de los pies y de la parte inferior de las piernas, y filtración de proteínas en la orina durante el embarazo. Otros síntomas de la preeclampsia son el dolor de cabeza, las náuseas, el vómito, el dolor abdominal y la visión borrosa. Si no se atiende a tiempo, puede llegar a producir convulsiones, estado de coma e incluso la muerte de la madre o del bebé. Su médico estará pendiente de identificar cualquier posible síntoma de preeclampsia.

# Infección de la vías urinarias

Si se presenta elevación de los niveles de glucosa en sangre, hay riesgos de que se presenten infecciones en las vías urinarias, generalmente causadas por bacterias. Las bacterias encuentran un medio propicio para propagarse cuando hay altos niveles de glucosa en sangre.

Los síntomas de las infecciones urinarias son necesidad frecuente de orinar, dolor o ardor al orinar, orina turbia o sanguinolenta, dolor en la parte baja de la espalda o en el abdomen, fiebre y escalofríos.

# Cómo detectar y atender la diabetes de la gestación

Si está embarazada, sométase al correspondiente control para determinar esta posible afección dentro de las semanas 24 y 28 del embarazo. Si tiene diabetes de la gestación, puede ser que su médico le solicite:

- *Someterse a una dieta especial,* que le ayudará a evitar las alzas o bajas de los niveles de glucosa.

- *Someterse a un programa de ejercicios,* que le puede ayudar a bajar sus niveles de glucosa.

- *Practicarse autocontroles para determinar los niveles de glucosa,* que le permitirán verificar si su programa para controlar la diabetes está funcionando.

- *Practicarse análisis de orina para determinar los niveles de cetonas.* Cuanto más pronto logre detectarlas, mayores posibilidades tendrá de evitar que éstas aumenten. Pida a su médico que le indique con qué frecuencia debe practicarse estos análisis.

- *Administrarse insulina.* Si tiene diabetes de la gestación, su organismo no será capaz de generar y usar toda la insulina que necesite durante el embarazo. Es posible, por tanto, que deba inyectarse insulina. Las tabletas para la diabetes no se utilizan, puesto que pueden hacerle daño al bebé.

Por lo general, la diabetes de la gestación desaparece después del parto. Pero si ha tenido diabetes de la gestación, corre el riesgo de sufrir diabetes tipo 1 o tipo 2 en el futuro.

# Diabetes tipo 1

En la diabetes tipo 1, el organismo deja de producir insulina o la produce en cantidades muy limitadas. Si sucede esto, usted necesitará inyectarse insulina para vivir y mantenerse saludable.

Sin insulina, la glucosa no puede entrar en sus células, y éstas necesitan glucosa para generar energía. La glucosa se acumula en la sangre y, con el tiempo, los altos niveles de glucosa en sangre pueden producir lesiones en los ojos, los riñones, los nervios o el corazón.

La diabetes tipo 1 suele presentarse en personas menores de 30 años, pero pueden contraerla personas de cualquier edad. Los síntomas de la diabetes tipo 1 pueden aparecer repentinamente y ser muy agudos.

## Síntomas de la diabetes tipo 1

| | |
|---|---|
| Micciones frecuentes | Fatiga |
| Hambre permanente | Tensión nerviosa |
| Sed permanente | Cambios repentinos de humor |
| Pérdida de peso | Náuseas |
| Debilidad | Vómito |

# Causas de la diabetes tipo 1

Nadie sabe con certeza por qué se contrae este tipo de diabetes. Hay algunas personas cuyos genes las predisponen más a ella, pero muchas otras con genes similares nunca la contraen. Hay algo en el interior o en el exterior del organismo que dispara la enfermedad. Los expertos aún ignoran qué es ese algo, pero continúan investigando para tratar de encontrarlo.

La mayoría de las personas con diabetes tipo 1, algún tiempo antes de que se les diagnostique la enfermedad, tienen altos niveles de autoanticuerpos en la sangre. Los anticuerpos son proteínas que el organismo fabrica para destruir los gérmenes y los virus. Los autoanticuerpos son anticuerpos que se deterioran y tienden a atacar los tejidos de su propio organismo. En las personas que contraen diabetes tipo 1, estos autoanticuerpos pueden atacar la insulina o las células que la producen.

# Tratamiento para la diabetes tipo 1

La diabetes tipo 1 es incurable, pero es mucho lo que se puede hacer para controlarla, y si usted lo hace, podrá mantener sus niveles de glucosa en sangre dentro de la escala ideal.

1. Aplíquese insulina. Las inyecciones o la bomba de insulina reemplazan la insulina que usted ya no produce. La insulina ayuda a sus células a abastecerse de glucosa.

2. Siga un plan alimentario saludable (véase *Plan alimentario*).

3. Manténgase físicamente activo. Esto ayuda a sus células a abastecerse de glucosa.

4. Practíquese los autoanálisis, que le ayudan a determinar si está logrando controlar su diabetes.

5. Sométase a controles regulares. Su médico podrá ayudarlo a introducir cualquier cambio necesario en su programa de atención a la diabetes.

## Diabetes inestable

Se habla de diabetes inestable para referirse a las amplias e imprevisibles oscilaciones de la glucosa en sangre. Ahora, cuando el control de la glucosa en sangre está al alcance de todos, generalmente es posible tener una idea bastante aproximada de cómo va a comportarse. Sin embargo, ¿por qué en algunas personas la glucosa en sangre tiene tan amplias variaciones? Porque su organismo reacciona en forma exagerada a los alimentos, los medicamentos y el estrés. Cada vez que comen, el alimento no es asimilado en la misma cantidad de tiempo. La insulina es asimilada en distintas proporciones. El estrés y las tensiones de la vida diaria producen la liberación de las hormonas del estrés en diferentes cantidades y en espacios de tiempo diferentes. Cada uno de estos factores, o todos a la vez, actúan para producir amplias oscilaciones en los niveles de la glucosa en sangre.

Si usted tiene diabetes inestable, trabaje con la persona que lo está atendiendo a fin de establecer en forma apropiada las dosis, la técnica, los lugares, la profundidad y la regularidad de sus inyecciones de insulina. Es posible que durante un tiempo necesite llevar un registro cuidadoso hasta que tenga las suficientes indicaciones que le permitan determinar la causa de las alzas y bajas extremas de su glucosa en sangre.

# Diabetes tipo 2

En la diabetes tipo 2, o bien su organismo no produce suficiente insulina o tiene problemas para utilizar la que produce, o ambas cosas a la vez. Una persona con diabetes tipo 2 puede tener que inyectarse insulina, pero no depende de ella para vivir.

Si usted no tiene suficiente insulina, sus células no podrán usar la glucosa para producir energía; por tanto, la glucosa permanecerá en la sangre, y esto puede ocasionar alzas en los niveles de glucosa en sangre. Con el tiempo, los altos niveles de glucosa en sangre pueden lesionar los ojos, los riñones, los nervios o el corazón.

La mayoría de las personas que sufren de diabetes tipo 2 son mayores de 40 años, pero también pueden contraerla personas de menor edad. A continuación enumeraremos los síntomas de la diabetes tipo 2.

## Síntomas de la diabetes tipo 2

Micciones frecuentes
Sed constante
Visión borrosa
Hambre constante

Sensación de hormigueo o entumecimiento de las manos y los pies
Fatiga

Pérdida de peso
Debilidad
Resecamiento y comezón en la piel

Infecciones de la piel, las encías, la vejiga o la vagina, que se presentan en forma recurrente o se curan muy lentamente

## Causas de la diabetes tipo 2

Aún no se conoce con certeza cuáles son sus causas. Además, no se sabe si este tipo de diabetes es hereditario. Pero de todos modos, existe la posibilidad de contraer la enfermedad si hay antecedentes de diabetes en la familia. Sin embargo, por lo general se necesitan otros elementos para que una persona enferma de diabetes tipo 2. El exceso de peso es una de las posibles causas. La diabetes tipo 2 suele ser común en personas que:

- Consumen demasiada grasa.
- Consumen muy pocos hidratos de carbono y fibra.
- Hacen muy poco ejercicio.

Estos hábitos pueden dar origen al sobrepeso, el cual, a su vez, puede ocasionar que el organismo tenga dificultad para utilizar la insulina que produce. Esto se denomina resistencia a la insulina; es decir, que el organismo no responde a la acción de la insulina como debería hacerlo.

## Tratamiento para la diabetes tipo 2

La diabetes tipo 2 es incurable, pero hay maneras de bajar los niveles de glucosa en sangre y de mejorar la capacidad del organismo para utilizar la insulina.

En primer lugar, la dieta y el ejercicio pueden ser eficaces porque con ellos usted puede perder peso. Además, ayuda a algunas personas a mantener sus niveles de glucosa en sangre dentro de los parámetros normales. La dieta y el ejercicio ayudan a su organismo a utilizar la insulina de que dispone. Pero si no logra controlar sus niveles de glucosa en sangre con dieta y ejercicio, es posible que necesite tomar tabletas para la diabetes, que bajan los niveles de glucosa en sangre, pero no son insulina. Si no logra mantener bajo control sus niveles de glucosa en sangre con dieta, ejercicio y las tabletas para la diabetes, es posible que también necesite agregar insulina a su tratamiento o reemplazar las tabletas con ella.

## Cómo cuidarse si sufre de diabetes

- Siga una dieta saludable.
- Controle su peso.
- Manténgase físicamente activo.
- Tome tabletas para la diabetes o aplíquese insulina, si fuera necesario.
- Practíquese los análisis de glucosa.
- Sométase a controles regulares.

# *Dieta*

La dieta más saludable es aquélla que está compuesta por alimentos bajos en grasas saturadas y en colesterol, una cantidad moderada de proteínas y tiene un alto contenido de hidratos de carbono complejos y fibra. Esta clase de dieta puede protegerlo de posibles enfermedades del corazón y vasculares, ataques cardíacos, accidentes cerebrovasculares, afecciones del colon e intestinales e, incluso, de algunos tipos de cáncer.

## Baja en grasas y colesterol

Para seguir una dieta baja en grasas y colesterol, debe consumir menos alimentos que contengan estos elementos. Cuando ingiera comidas con un alto contenido graso, escoja siempre aquellas que tengan mayor cantidad de grasas no saturadas. Las grasas saturadas elevan sus niveles de colesterol más que cualquier otra cosa que usted ingiera. Las no saturadas, por el contrario, tienden a bajarlos.

El colesterol se encuentra en los alimentos de origen animal. Los alimentos de origen vegetal no contienen colesterol. Los alimentos con un alto contenido de colesterol son principalmente la yema de huevo, la leche entera, los quesos corrientes y las carnes.

Las grasas saturadas se encuentran en los alimentos de origen animal y en algunos de origen vegetal. Entre éstos figuran la carne, los productos lácteos elaborados con leche entera, la manteca de cerdo, la margarina y los aceites de coco y de palma.

Las grasas no saturadas se encuentran en los vegetales. Estas grasas pueden ser poliinsaturadas o monoinsaturadas. Los aceites vegetales, como el de maíz, de semillas de algodón, de soya y de girasol, tienen un alto contenido de grasas poliinsaturadas. Los aceites que contienen principalmente grasas monoinsaturadas son los de oliva, de aguacate, de almendra y de maní.

## Cómo disminuir la grasa y el colesterol

### Productos lácteos

- Consuma leche descremada o con un contenido graso de 1%, en vez de leche entera.
- Consuma yogur con diversos sabores, pero bajo en grasa, en lugar de yogur de leche entera.
- Consuma yogur natural sin grasa o bajo en grasa en lugar de crema, crema agria y mayonesa.
- Consuma requesón hecho puré y sin grasa, o bajo en grasa, con un poco de jugo de limón en lugar de crema agria.
- Consuma queso crema o requesón descremado y hecho puré en lugar del queso crema corriente.
- Consuma quesos bajos o sin grasa en lugar de quesos corrientes.

- Consuma yogur congelado bajo en grasa o helados de agua en lugar de helados corrientes.

## Huevos

- Limite el consumo de huevos enteros a tres o cuatro veces por semana. Puede usar los sustitutos. En algunas recetas puede usar las claras en vez del huevo entero. Un huevo entero se puede reemplazar por dos claras.

## Grasas y aceites

- Reemplace la mantequilla, la margarina corriente y la manteca de cerdo por margarina dietética o líquida suave. En esta forma consumirá menos grasa saturada.

- Reemplace la mantequilla y la margarina por aceites no saturados o insaturados. Trate de cocinar utilizando solamente una cucharada o menos de aceite no saturado.

- Reemplace los aceites de cocina por bases vegetales, vino o caldo bajo o sin grasa, que impiden que la comida se pegue a la sartén.

- Reemplace las salsas o las vinagretas a base de aceite para las ensaladas, por aquéllas que están preparadas sin grasas. Utilice jugo de limón o simplemente sal y pimienta, para las ensaladas.

## Carnes

- Procure consumir menos carne. La porción máxima debe ser de aproximadamente 3 onzas, y su tamaño corresponde al de un mazo de naipes.

- Prefiera la carne magra. Algunos cortes de carne magra son el filete de lomo redondo, el filete de lomito, el filete de caderita, el lomo de cerdo, la pierna de cordero, la pierna de ternera.
- Utilice métodos de cocina bajos en grasa, como asar sobre brasa, a la parrilla y al horno en lugar de freír.

## Pollo

- Prefiera la pechuga de pollo y de pavo, porque son las presas con menos cantidad de grasa.
- Descarte la piel.

## Pescado

- Procure consumir más pescado. La mayoría son bajos en grasa y en calorías. Los aceites de pescado tienen ácidos grasos Omega-3, que pueden protegerlo de las enfermedades del corazón.
- Cocine el pescado al vapor, hierva o áselo sobre parrilla.

# Moderado contenido proteínico

Para una dieta con moderado contenido proteínico, obtenga las proteínas de alimentos bajos en grasas, calorías y colesterol.

Las carnes, el pollo, los huevos, la leche y el queso tienen un alto contenido proteínico, y también altas cantidades de grasas saturadas y de colesterol. Si usted los consume, prefiera los cortes de las partes magras.

La mejor opción para obtener las proteínas necesarias es consumir pescado y mariscos. La mayoría de los pescados y los mariscos tienen menos contenido de grasas saturadas y de colesterol que la carne de res. También es posible obtener las proteínas de las legumbres (fríjoles, arvejas y lentejas), de los cereales y de las verduras. Estas últimas representan una buena elección, puesto que tienen un bajo contenido de grasas y calorías y no contienen colesterol. Las nueces y las semillas también tienen abundancia de proteínas, y la mayoría de su contenido graso está representado por grasas no saturadas.

# Alto contenido de hidratos de carbono y fibra

Para una dieta con un alto contenido de carbohidratos y fibra elija frutas, verduras, legumbres y cereales. Todos ellos son bajos en grasas y no contienen colesterol.

## Comidas con alto contenido de fibra

| Frutas | Verduras | Legumbres | Cereales |
|---|---|---|---|
| Manzanas | Corazones de alcachofas | Fríjoles negros | Cebada |
| Moras | | Garbanzos | Alforfón |
| Arándanos | Brotes de bambú | Arvejas verdes | Bulgur (trigo) |
| Dátiles | | Fríjoles rojos | Salvado de maíz |
| Higos | Bróculi | Lentejas | |
| Naranjas | Coles de Bruselas | Fríjoles blancos | Harina de maíz |
| Duraznos | | Guisantes | Salvado de avena |
| Peras | Repollo | Soya | |
| Ciruelas pasas | Zanahorias | Arvejas secas | Salvado de arroz |
| | Maíz | | |
| Uvas pasas | Pastinaca (chirivía) | | Harina de avena |

| Frutas | Verduras | Cereales |
|--------|----------|----------|
| Frambuesas | Espinacas | Centeno |
| Fresas | Calabaza | Salvado de trigo |
| | Batatas (papa dulce) | Germen de trigo |
| | Ñame | Trigo entero |

# Dieta vegetariana

Estas dietas tienen como base alimentos de origen vegetal. Entre éstos se incluyen las frutas, las verduras, los cereales, las legumbres (fríjoles, arvejas y lentejas), las nueces y las semillas. Los alimentos vegetales no contienen colesterol y la mayoría son bajos en grasas y calorías. Todos tienen un alto contenido de fibras, vitaminas y minerales.

Una dieta vegetariana puede ser una opción saludable para personas con diabetes. Los vegetarianos tienen menos tendencia a exceder de peso, a presentar altos niveles de colesterol o a tener la tensión arterial alta. También corren menos riesgos de sufrir afecciones cardiacas, vasculares, del colon, cáncer del pulmón y osteoporosis.

Las personas con diabetes tipo 1 que se vuelven vegetarianas pueden necesitar menos insulina. Las que padecen diabetes tipo 2 pueden perder peso, y con esto mejorar sus niveles de glucosa en sangre.

Muchas personas que piensan en la posibilidad de adoptar una dieta vegetariana se preguntan si obtendrán suficiente proteína. En realidad, no tienen mucho de qué preocuparse.

La mayoría de los vegetarianos pueden obtener todas

las proteínas que necesitan de los cereales, las legumbres, las nueces y las semillas con alto contenido proteínico. Otros vegetarianos menos estrictos también obtienen proteínas de ciertos alimentos de origen animal, como los lácteos descremados, el pescado, los mariscos y las aves.

Hay distintas clases de vegetarianos, lo que explica que algunos consuman ciertos alimentos de origen animal. Las distintas clases de vegetarianos son los vegetarianos estrictos, los lactovegetarianos, los ovovegetarianos, los lacto-ovovegetarianos y los semivegetarianos. Véanse las tablas que siguen para conocer los tipos de alimentación que consume cada clase de vegetarianos y en qué cantidades.

## Qué come un vegetariano

|  | Come | No come |
|---|---|---|
| **Vegetariano estricto** | Frutas, verduras, legumbres, cereales, nueces, semillas | Carne de res, pescado, mariscos, aves, productos lácteos, huevos |
| **Lactovegetariano** | Frutas, verduras, legumbres, cereales, nueces, semillas, productos lácteos | Carne de res, pescado, mariscos, aves, huevos |
| **Ovovegetariano** | Frutas, verduras, legumbres, cereales, nueces, semillas, huevos | Carne de res, pescado, mariscos, aves, productos lácteos |
| **Lactoovegetariano** | Frutas, verduras, legumbres, cereales, nueces, semillas, huevos, productos lácteos | Carne de res, pescado, mariscos, aves |

| | Come | No come |
|---|---|---|
| **Semivegetariano** | Frutas, verduras, legumbres, cereales, nueces, semillas, huevos, productos lácteos, pescado, mariscos, aves | Carne de res |

## Cuánto come un vegetariano

| Alimento | Porciones al día |
|---|---|
| Cereales | 6 a 11 |
| Verduras | 3 a 8 |
| Frutas | 2 a 4 |
| Legumbres | 2 a 3 |
| Productos lácteos | 2 a 4 |
| Nueces y semillas | 1 a 2 |
| Grasas y aceites | 1 a 2 |

Si usted desea probar con una dieta vegetariana, consulte con un dietista, quien podrá ayudarlo a establecer una tabla de sustituciones de alimentos para reemplazar aquéllos que quiera eliminar de su plan alimentario. Un dietista también puede ayudarlo a asegurarse de que obtendrá todos los nutrimentos —vitaminas, minerales, proteínas, grasas e hidratos de carbono— que su organismo necesita. A continuación ofrecemos algunas sugerencias para quienes deseen "volverse vegetarianos".

## Qué pasos seguir para volverse vegetariano

- Empiece con una comida vegetariana semanal durante

Una dieta sana consta de alimentos de los diferentes grupos.

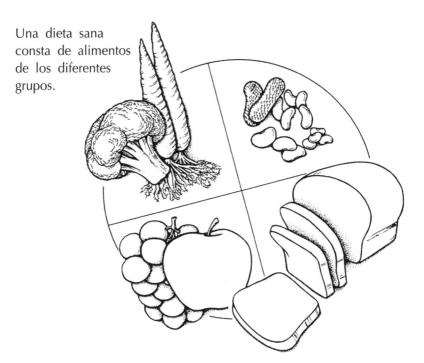

varias semanas. Pruebe primero con comidas que le sean familiares.

- Consulte libros de cocina vegetariana.

- Trate de comer en algún restaurante vegetariano. Es posible que se sorprenda con la variedad de platos apetitosos que encontrará allí.

- Consuma menos carne de res, aves, pescado y mariscos en sus comidas. Una porción ideal sería de 3 onzas (más o menos el tamaño de un mazo de naipes).

- Corte la carne en trozos o tiras y adiciónela a una ensalada de verduras, o a un plato de cereales o de legumbres.

- Consuma más cereales, legumbres y verduras en sus comidas.

- Pruebe comer fríjoles cocidos en vez de carne enchilada, estofados y guisos.

# Dietista

La comida es un elemento fundamental en el cuidado de su diabetes; por tanto, necesita de ayuda profesional. Un dietista es un experto en alimentación y nutrición que lo puede ayudar a determinar cuáles son sus necesidades alimentarias basándose en su peso, estilo de vida, tipo de tratamiento al que está sometido, si toma tabletas para la diabetes o se aplica insulina, qué otras medicinas está tomando y cuáles son las metas que usted se ha establecido en lo que respecta a su salud. También puede enseñarle muchas otras cosas útiles, tales como:

- Elaborar y poner en práctica un plan alimentario.
- Leer las etiquetas de los alimentos.
- Elegir inteligentemente al comprar los alimentos.
- Elegir inteligentemente en un menú de restaurante.
- Modificar una receta con grasa en una con bajo contenido graso.
- Saber escoger los libros de recetas de cocina y las guías culinarias.

- Aprender a reconocer cómo los alimentos que come afectan los niveles de grasa en su sangre.
- Aprender a reconocer cómo los alimentos que consume afectan los niveles de glucosa en su sangre.
- Saber cómo debe tratar los episodios de baja de los niveles de glucosa en sangre.

Cuando se presenta un cambio notorio en su peso, estilo de vida, necesidades médicas o metas en lo que a salud se refiere, lo más probable es que también se produzca un cambio en sus necesidades alimentarias. Su dietista puede ayudarlo a adaptar su plan a esos cambios.

Algunas asociaciones de diabéticos recomiendan que todos los adultos que padezcan esta enfermedad visiten a un dietista cada seis meses o, al menos, cada año.

## Si está buscando dietista

Asegúrese de que el profesional escogido tenga la debida preparación y sea verdaderamente idóneo.

Infórmese bien y solicite el consejo de su médico a fin de tomar una decisión acertada.

Procure que su dietista haya trabajado con diabéticos.

# Ejercicios aeróbicos

En los ejercicios aeróbicos trabajan el corazón, los pulmones, los brazos y las piernas. Al poner a trabajar esas partes del cuerpo, usted puede mejorar su flujo sanguíneo, reducir el riesgo de enfermedades cardiacas y bajar su presión sanguínea. También puede reducir el nivel de su colesterol LBD y sus triglicéridos, y elevar su colesterol LAD (el bueno).

Cuando hace ejercicios aeróbicos, usted respira más fuerte y su corazón palpita con mayor velocidad. Esto le ayuda a aumentar su resistencia y su energía. Es posible que encuentre que los aeróbicos le ayudan a dormir mejor, le hacen sentir menos estrés, equilibran sus emociones y aumentan su sensación de bienestar.

Los ejercicios aeróbicos son buenos para su estado general y también le ayudan en lo relacionado con su diabetes, puesto que ellos hacen que su insulina actúe más intensa y rápidamente y le permiten reducir la grasa de su cuerpo y perder peso. Si aún no hace ejercicios, es posible que su médico se los indique.

## Qué hacer antes de empezar

Consulte con su médico antes de iniciar cualquier programa de ejercicios. Es posible que deba someterse a una serie de pruebas para determinar el estado de su corazón, vasos sanguíneos, ojos, pies y sistema nervioso.

También necesitará examinar su presión sanguínea, los niveles de grasa en la sangre, y los de glucohemoglobina y de grasa corporal. Su médico le indicará cómo ajustar su programa de control de la diabetes para incluir en él el ejercicio.

## Cuáles ejercicios aeróbicos son convenientes

Algunos ejercicios pueden empeorar los problemas del corazón, los ojos, los pies o los nervios; por tanto, es importante que consulte con su médico sobre el tipo de ejercicios que debe hacer. Escoja los que considere placenteros, y después aprenda la manera apropiada de hacerlos. A continuación damos algunos ejemplos de ejercicios aeróbicos:

- Clases de aeróbicos en vivo o con videocasetes
- Montar en bicicleta
- Bailar
- Trotar
- Saltar a la cuerda o al lazo
- Remar
- Correr
- Patinar (en ruedas, o sobre hielo)

- Esquiar (en pendiente, a campo traviesa)
- Subir y bajar escaleras
- Caminar
- Ejercicios acuáticos

# Por cuánto tiempo y con qué frecuencia se debe hacer ejercicio

Si está reanudando el ejercicio después de mucho tiempo con poca o ninguna actividad física, comience con 5 minutos. Haga un programa que comprenda períodos cortos que al menos sumen 30 minutos diarios. Por ejemplo, puede intentar pasear a paso rápido o subir y bajar escaleras durante 10 minutos tres veces al día, o durante 15 dos veces al día.

Hacer ejercicio por períodos inferiores a 15 minutos diarios no le ayudará a mejorar su salud. Poco a poco aumente el ejercicio hasta llegar a períodos de 20 a 60 minutos de ejercicio continuo de tres a cinco veces por semana. Los 20 a 60 minutos de ejercicios aeróbicos no comprenden los minutos de calentamiento o enfriamiento.

El calentamiento permitirá que su ritmo cardiaco aumente lentamente y que sus músculos entren en calor, lo cual prevendrá lesiones. El enfriamiento permitirá que su ritmo cardiaco descienda y que su frecuencia respiratoria se reduzca. Haga calentamiento entre 5 a 10 minutos antes de iniciar el ejercicio aeróbico, y enfriamiento también entre 5 a 10 minutos una vez concluida la sesión. Como calentamiento o enfriamiento puede hacer ejercicios de estiramiento suave, caminar lentamente o montar en bicicleta a un ritmo lento.

# Qué tan intenso debe ser el ejercicio

Su médico o un especialista en ejercicio puede indicarle qué tan intenso debe ser el que usted practique, proporcionándole un número, es decir, un porcentaje. Le puede decir que debe tener un mínimo de 40% o un máximo de 70%. Este número representa el porcentaje de su capacidad para hacer ejercicio (su máxima capacidad para aeróbicos). Hay algunas formas de calcular su máxima capacidad para aeróbicos. A continuación encontrará una muy sencilla.

A 220 réstele su edad. El resultado constituye su máxima frecuencia cardiaca. Por ejemplo, si usted tiene 40 años, su máxima frecuencia cardiaca es 180. Hacer ejercicio a un 60% de su máxima capacidad aeróbica mantiene su pulso en 108 pulsaciones por minuto ($180 \times 60\% = 108$). Una enfermera puede indicarle cómo tomarse el pulso.

Si sufre de alguna lesión nerviosa o está tomando medicinas para la tensión arterial, su ritmo cardiaco será más lento. Consulte con su médico qué debe hacer al respecto. Si su corazón late a un ritmo más lento, su frecuencia cardiaca no es una buena guía para la intensidad de su ejercicio. Por tanto, debe hacer ejercicio estableciendo usted mismo el nivel moderado de esfuerzo, es decir, procurando no hacer ni mucho ni demasiado poco. Usted deberá ser capaz de hablar mientras está haciendo ejercicio.

## Señales de que se está excediendo

- No puede hablar mientras está haciendo ejercicio.
- Su pulso excede el ritmo que usted trata de mantener.

- Usted podría calificar su grado de esfuerzo como intenso o muy intenso.

# Cuándo practicarse el control del nivel de glucosa en sangre

Con frecuencia el ejercicio baja los niveles de glucosa en sangre, pero si éstos están altos antes de iniciarlo, incluso pueden elevarse más.

Si a usted le están administrando insulina o tabletas para la diabetes, el ejercicio puede bajar demasiado los niveles de glucosa en sangre. La mejor manera de determinar cómo afecta el ejercicio los niveles de glucosa en su sangre es practicarse análisis antes y después de hacer ejercicio.

*Practíquese el análisis del nivel de glucosa en sangre dos veces antes de hacer ejercicio.* Hágase un análisis 30 minutos antes de iniciar el ejercicio y otro inmediatamente antes de iniciarlo. Esto le indicará si su glucosa tiende a subir o a bajar, o si está estable. Si el nivel está subiendo, espere a que se estabilice. Si está bajando, es posible que necesite tomar algún refrigerio extra para estabilizarlo. Inicie el ejercicio cuando se estabilice.

*Esté preparado para verificar su nivel de glucosa mientras hace ejercicio.* Hay ocasiones en la cuales usted puede querer detenerse y examinar sus niveles de glucosa.

- Cuando esté haciendo un ejercicio por primera vez y quiera saber si éste le afecta su nivel de glucosa en sangre.
- Cuando tenga la sensación de que el nivel de glucosa está bajando demasiado.

- Cuando piensa hacer ejercicio por más de 1 hora (practíquese el análisis cada 30 minutos).

*Verifique el nivel de glucosa en sangre después de hacer ejercicio.* Cuando usted hace ejercicio, su organismo utiliza la glucosa almacenada en sus músculos e hígado. Después del ejercicio, su organismo restituye la glucosa a sus músculos e hígado sacándola de su sangre. Este proceso puede emplear entre 10 y 24 horas, tiempo durante el cual los niveles de glucosa en sangre pueden bajar demasiado.

## Cuándo tomar un refrigerio

Según lo intenso y lo prolongado que sea el ejercicio que usted haga, es posible que necesite consumir algún refrigerio extra. Éste puede consistir en una porción de fruta, media taza de jugo, media rosquilla o un panecillo. Consulte con su dietista qué tipo de refrigerios le convienen a usted y cuáles serían las mejores horas para tomarlos. Si le están administrando insulina o tabletas para la diabetes, es posible que necesite comer algo extra antes, durante o después del ejercicio.

*Si su nivel de glucosa es menor de 100 mg/dl antes de hacer ejercicio*
Es posible que necesite comer algo antes de comenzar.

*Si su nivel de glucosa está entre 100 y 250 mg/dl antes de hacer ejercicio y usted piensa hacer ejercicio durante más de 1 hora*
Necesitará comer algo cada 30 minutos, o al menos cada hora.

*Si su nivel de glucosa está entre 100 y 250 mg/dl antes de hacer ejercicio y piensa hacer ejercicio por menos de 1 hora*

Es posible que no necesite comer nada.

## Cuándo y qué beber

El ejercicio lo hace sudar. Esto significa que usted está perdiendo líquido, y para reemplazarlo tiene que beber después o mientras está haciendo ejercicio, si éste es intenso.

Por lo general, el agua es la mejor opción. Pero si usted ha estado haciendo ejercicio durante un período largo, es posible que desee tomar alguna bebida que contenga hidratos de carbono. Escoja aquéllas que no tengan más de un 10% de hidratos de carbono, como las que se recomiendan a los deportistas, o los jugos de fruta diluidos ($^1/_2$ taza de jugo de fruta en $^1/_2$ taza de agua).

## Cuándo hacer ejercicio

Un buen momento para hacer ejercicio es de 1 a 3 horas después de tomar una comida o refrigerio. Los alimentos consumidos le ayudarán a evitar que sus niveles de glucosa bajen demasiado.

## Cuándo evitar el ejercicio

- Si su nivel de glucosa en sangre está por encima de 300 mg/dl.
- Si le están administrando la dosis máxima de insulina o de tabletas para la diabetes.
- Si tiene cetonas en la orina.

- Si siente entumecimiento, escalofríos o dolor en los pies o las piernas.

- Si le falta el aliento.

- Si está enfermo.

- Si tiene alguna herida grave.

- Si se siente mareado.

- Si se siente mal del estómago.

- Si siente dolor u opresión en el pecho, el cuello, los hombros o la mandíbula.

- Si su vista se nubla o ve puntos negros.

# Ejercicios de fortalecimiento

Los ejercicios de fortalecimiento son aquéllos que hacen trabajar los músculos contraponiéndolos a unas pesas, ya sea por medio de máquinas, levantando pesas libres, practicando la calistenia o haciendo entrenamiento en circuitos.

## Máquinas de pesas

Estas máquinas permiten cambiar el peso que usted desee levantar, ya sea colocando pesas adicionales una sobre otra, o moviendo una válvula que controla la presión de fluido.

## Pesas libres

Éstas no forman parte de un equipo. Pueden ser de dos tipos: cortas, que se pueden levantar con una sola mano, y largas, que deben levantarse con ambas manos.

## Calistenia

En la calistenia, el peso que usted utiliza es el de su propio cuerpo. Entre los ejercicios de calistenia se encuentran las flexiones de brazos y de pecho, los ejercicios abdominales y los ejercicios en cuclillas. Usted puede hacer que sus músculos trabajen más si pone peso en sus muñecas o tobillos, o si utiliza bandas elásticas.

## Entrenamiento en circuitos

En el entrenamiento en circuitos usted debe pasar por una serie de estaciones, en cada una de las cuales deberá hacer un ejercicio diferente. Puede ser utilizar una máquina con pesas, levantar pesas libres, hacer algún ejercicio aeróbico o de calistenia. Cuando termina el ejercicio que le corresponde en cada estación, tiene un período de descanso antes de pasar a la siguiente estación.

## ¿Por qué hacer ejercicios de fortalecimiento?

Estos ejercicios fortalecen los músculos y los hacen más flexibles, además de endurecer los huesos. Los músculos y huesos fuertes sufren menos lesiones. A medida que usted tenga más fuerza, más se le facilitarán las tareas físicas diarias y podrá permanecer en actividad por más tiempo sin cansarse.

## Qué hacer antes de empezar

*Consulte con su médico.* Es conveniente hacerlo antes de iniciar este tipo de ejercicios. Algunos pueden ser mejores para usted y es posible que otros no le convengan en absoluto.

*Elija sus ejercicios.* Cuando sepa qué ejercicios de fortalecimiento no implican ningún riesgo para usted, escoja de 8 a 10 diferentes. Asegúrese de elegir aquéllos que le hacen trabajar las piernas, las caderas, el pecho, la espalda, los hombros, los brazos y el abdomen. La idea es ejercitar los diferentes grupos de músculos. Es posible que su médico le pueda ayudar en la elección.

*Aprenda cómo hacer los ejercicios.* Una vez escogidos, aprenda a hacer apropiadamente sus ejercicios porque corre el riesgo de lesionarse si no los hace en la forma debida. Si los ejercicios que usted eligió requieren el empleo de un equipo que no ha utilizado nunca, antes de practicarlos aprenda a manejar y a ajustar ese equipo. Así mismo, aprenda a servirse de cualquier equipo de seguridad disponible, por si llegara a necesitarlo mientras realiza el ejercicio.

## Cómo fortalecerse con pesas o con calistenia

Como antes de cualquier otro ejercicio, caliente sus músculos durante 5 ó 10 minutos. Después de terminar, haga enfriamiento durante 5 ó 10 minutos. Para ello practique suaves ejercicios de estiramiento, camine un rato a paso lento o monte en bicicleta.

Después del calentamiento, empiece con una tanda de cada ejercicio. Una tanda es el número de veces que usted repite un ejercicio antes de descansar. Haga que algún especialista en ejercicios le ayude a determinar cuántas veces debe hacer cada uno. A continuación encontrará algunas orientaciones básicas.

*Si el ejercicio es fácil para usted*

Hágalo de 15 a 20 veces. Descanse 1 minuto o menos entre una tanda y otra.

*Si el ejercicio es moderadamente difícil para usted*

Hágalo de 8 a 12 veces. Descanse 1 ó 2 minutos entre una tanda y otra.

*Si el ejercicio es difícil para usted*

Hágalo de 2 a 6 veces. Descanse de 3 a 5 minutos entre una tanda y otra.

Recuerde que debe comenzar con una tanda. A medida que se vaya fortaleciendo, estará en condiciones de hacer más tandas. Vaya aumentándolas poco a poco, hasta llegar a 2 ó 3 de cada ejercicio. Una vez que pueda hacer éstas fácilmente, estará en capacidad de ejecutar ejercicios más fuertes añadiendo más peso.

Otra cosa que debe recordar es mover sus músculos utilizando toda su capacidad de movimiento. Esto aumenta la flexibilidad. Cuando el músculo no se mueve totalmente, éste pierde flexibilidad. ¡Mantenga el ritmo respiratorio! Inspire lentamente cuando baja, exhale cuando está levantando. Si esta pauta no le conviene, entonces conserve su ritmo respiratorio normal.

## Cuánto tiempo y con qué frecuencia hacer ejercicio

Haga sus ejercicios de fortalecimiento durante 20 ó 30 minutos dos o tres veces por semana. Prográmelos en días alternos, asegurando así uno de descanso cuando vaya a realizar los mismos ejercicios de fortalecimiento. Para fortalecerse, los músculos necesitan tanto del descanso como del ejercicio.

# Ejercicios para adquirir flexibilidad

La flexibilidad determina hasta dónde puede estirar usted los músculos que rodean sus articulaciones, sin sentir entumecimiento, resistencia o dolor. Los músculos y articulaciones flexibles están menos expuestos a lesiones cuando los utiliza.

Una de las mejores maneras de adquirir mayor flexibilidad es hacer diariamente ejercicios de estiramiento. Estírese un poco en distintos momentos del día para aliviar la tensión muscular y el estrés. Incluya los estiramientos dentro de su programa de ejercicios.

Hay muchas formas de hacer ejercicios de estiramiento. Puede encontrarlas en libros, videocasetes y clases de gimnasia. A continuación encontrará algunos ejercicios de estiramiento que puede ensayar, pero antes le daremos algunas reglas.

## Reglas para los ejercicios de estiramiento

- Hágalos lenta y suavemente.
- No descuide la respiración.

- No salte.
- Relájese de cualquier tensión que esté sintiendo.
- Haga sólo los ejercicios que no le causen dolor.
- Resista por lo menos entre 8 y 10 segundos.

**Estiramiento de la pantorrilla.** Colóquese de pie frente a una pared, a una distancia de aproximadamente 30 centímetros. Ponga un pie delante del otro y con los dedos de ambos mirando hacia la pared. Mantenga las plantas de los pies pegadas al suelo. Doble la rodilla de la pierna que está adelante. Inclínese lentamente hacia adelante y deje descansar el antebrazo sobre la pared. Haga presión contra el suelo con el talón del pie de atrás. Cambie las piernas de posición y repita el ejercicio.

Estiramiento de la pantorrilla    Estiramiento del cuádriceps

**Estiramiento del cuádriceps (parte anterior del muslo).** Póngase de pie con las piernas estiradas o ligeramente flexionadas. Mueva una pierna hacia atrás levantando el pie del suelo. Con una mano, sostenga el tobillo de la pierna levantada (puede utilizar un elemento para sostenerse y mantener el equilibrio). Tire suavemente del pie hacia arriba con el talón dirigido hacia sus nalgas, y sosténgalo así. Descanse. Repita los mismos movimientos con la otra pierna.

**Estiramiento del tendón de la corva (parte posterior del muslo).** Tiéndase de espaldas en el suelo. Doble las piernas, manteniendo los pies sobre el suelo. Levante una pierna. Manténgala levemente doblada. Sostenga la pierna por la pantorrilla con ambas manos. Sin soltar la pierna, trate de estirarla. Descanse. Repita el estiramiento y descanse. Repita el mismo procedimiento con la otra pierna.

**Estiramiento de la espalda y las caderas.** Siéntese con una pierna estirada y la otra doblada. Cruce la pierna doblada sobre la estirada, colocando el pie en el suelo, paralelo a la rodilla de la pierna estirada. Respire. Gire lentamente el tronco hacia la pierna estirada. Siga girando la cabeza para mirar hacia su espalda. Mantenga los hombros relajados y el mentón en posición horizontal. Haga un movimiento como si fuera a abrazarse y coloque el codo lo más cerca posible de la rodilla que tiene doblada. Retome la posición recta muy lentamente y deje descansar las piernas sobre el piso. Repita para el otro lado.

**Estiramiento de la parte baja de la espalda.** Tiéndase boca arriba. Eleve las piernas hasta el pecho. Sostenga las rodillas con los brazos. Acerque lo más posible las rodillas al pecho y mantenga la parte baja de la espalda haciendo contacto con el suelo. Suelte los brazos de las piernas y estírelas.

Estiramiento del tendón
de la corva (parte
posterior del muslo)

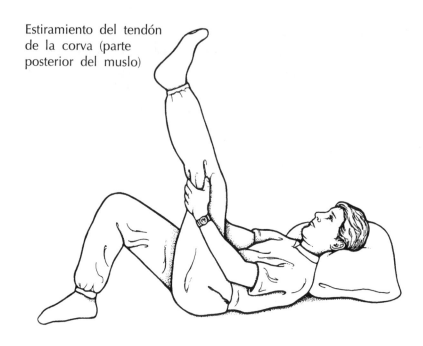

Estiramiento de la
espalda y las caderas

***Estiramiento de hombros y pecho.*** Una las manos por detrás entrelazando los dedos. Levante los brazos. Manténgase en esta posición. Respire. Bájelos lentamente y descanse.

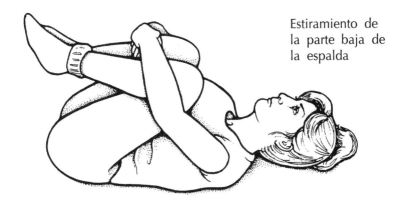

Estiramiento de la parte baja de la espalda

Estiramiento de hombros y pecho

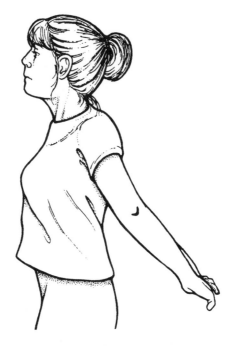

***Estiramiento de los brazos.*** Levante los brazos por encima de la cabeza. Una las manos entrelazando los dedos, con las palmas hacia arriba. Haga presión hacia arriba con los brazos.

***Estiramiento del cuello.*** Coloque la cabeza en posición vertical y mirando hacia adelante. Mire hacia abajo. Deje caer la cabeza hacia el pecho. Vuelva a la posición inicial. Mire hacia arriba tratando de que su barbilla apunte hacia el techo. Vuelva a la posición inicial. Gire la cabeza hacia un hombro. Vuelva a la posición inicial. Gírela hacia el otro. Repita el ejercicio lentamente.

Estiramiento de los brazos

Estiramiento del cuello, 1

Estiramiento del cuello, 2

Si desea un mayor estímulo para sus músculos y articulaciones, piense en la posibilidad de ejercitarse en alguna de las siguientes actividades:

* Ballet
* Gimnasia
* Artes marciales
* Danza moderna
* Yoga

Antes de comenzar a practicar cualquiera de estas actividades, consulte con su médico. Algunos de los movimientos que exigen pueden ser arriesgados para usted.

Lo mejor sería conseguir un instructor que le enseñe cómo hacer los ejercicios correspondientes. Hay muchos lugares donde dan clases para principiantes.

Si piensa tomar clases, quizá pueda solicitar permiso para asistir al menos a una clase antes de comprometerse. También sería conveniente que consultara si el instructor ha tenido alguna experiencia enseñando a diabéticos.

# Embarazo

La mayoría de las diabéticas dan a luz niños saludables. Con frecuencia, su mayor temor es que el bebé pueda tener diabetes. En realidad, el riesgo de que su bebé tenga diabetes es reducido.

## Posibilidades de que un recién nacido tenga diabetes

*Si la madre tiene diabetes tipo 1*
El bebé presenta un riesgo de 1 a 3%.

*Si el padre tiene diabetes tipo 1*
El bebé presenta un riesgo de 3 a 6%.

*Si cualquiera de los padres sufre de diabetes tipo 2 después de los 50 años*
El bebé tiene un 7% de posibilidades de tener diabetes.

*Si cualquiera de los padres sufre de diabetes tipo 2 antes de los 50 años*
El bebé tiene un 14% de posibilidades de tenerla.

Aunque el bebé pueda estar a salvo de sufrir de diabetes, hay otros peligros tanto para su propia salud como para la de su bebé.

## Altos niveles de glucosa en sangre

Uno de los mayores peligros, tanto para usted como para el bebé, son los altos niveles de glucosa en sangre, pues éstos pueden dar origen a algunos defectos congénitos como la macrosomía o gigantismo y los bajos niveles de glucosa en sangre en su bebé. Además, existe el riesgo para usted de sufrir infecciones en las vías urinarias.

*Defectos congénitos.* Los altos niveles de glucosa durante las primeras ocho semanas de embarazo pueden dar origen a defectos congénitos, porque durante este período se forman los órganos del bebé.

Los defectos congénitos pueden presentarse en cualquier parte del cuerpo de su bebé, aunque las más frecuentemente afectadas son el corazón, la médula espinal, el cerebro y los huesos. Como usted tiene diabetes, es mayor el riesgo de que los defectos congénitos sean graves. Además, también existe el riesgo del aborto espontáneo.

*Macrosomía o gigantismo.* Ocurre cuando el niño nace demasiado grande. Si los niveles de glucosa en sangre de la madre son excesivamente altos durante el embarazo, es posible que el bebé sea más grande y más gordo que lo normal, lo que suele dificultar el parto. Los bebés demasiado grandes por lo general presentan más problemas de salud.

*Bajos niveles de glucosa en sangre.* Si sus niveles son muy altos inmediatamente antes o durante el trabajo de parto, es posible que inmediatamente después del nacimiento su bebé presente bajos niveles de glucosa.

*Infección de las vías urinarias.* Cuando sus niveles de glucosa en sangre son altos durante el embarazo, usted corre un alto riesgo de sufrir infecciones en las vías urinarias. Éstas generalmente son producidas por bacterias, que aumentan más y con mayor rapidez cuando hay altos niveles de glucosa.

Los síntomas de infección en las vías urinarias son frecuente necesidad de orinar, dolor o ardor al hacerlo, orina turbia o sanguinolenta, dolor en la parte baja de la espalda o en el abdomen, fiebre y escalofríos.

## Altos niveles de cetonas

Las cetonas se producen cuando el cuerpo quema grasa almacenada para generar energía. Grandes cantidades de cetonas pueden causar daño a usted y a su bebé. Las cetonas tienden a acumularse si usted no está comiendo y bebiendo lo suficiente para los dos. Asegúrese de no omitir ninguna comida ni refrigerio, y de tomarlos a las horas debidas.

## Tabletas o píldoras para la diabetes

Éstas no son permitidas durante el embarazo, porque pueden dar origen a defectos congénitos y a bajos niveles de glucosa en sangre en su bebé. Si usted toma estas medicinas, deberá dejarlas antes de quedar embarazada y durante el período de gestación.

Es posible que su médico las cambie por insulina.

Puede necesitar la insulina desde el principio del embarazo o solamente al final de éste. También es posible que no necesite la insulina.

## Preeclampsia

La preeclampsia (también denominada toxemia) se presenta cuando usted tiene la tensión arterial muy alta, los pies y la parte inferior de las piernas inflamados y filtración de proteínas en la orina durante el embarazo. Otros posibles síntomas son dolor de cabeza persistente, náuseas, vómito, dolor abdominal y visión borrosa. Si la preeclampsia no se atiende adecuadamente puede llegar a producir convulsiones, estado de coma e incluso la muerte de la madre o del bebé. Su médico estará atento para identificar cualquier síntoma de preeclampsia.

## Hidramnios

Con este nombre se conoce  el exceso de líquido amniótico en el útero. Los síntomas son molestias abdominales, crecimiento anormal del útero, dificultad respiratoria e inflamación de las piernas. Puede dar origen a un trabajo de parto prematuro. Su médico estará atento a identificar cualquier síntoma de hidramnios.

## Para aumentar las posibilidades de tener un bebé saludable

- *Mantenga un cuidadoso control de sus niveles de glucosa en sangre antes del embarazo.* Si no ha ejercido un buen control, procure lograrlo y mantenerlo durante un período de 3 a 6 meses antes de pensar en quedar embarazada. Si espera hasta saber que ha quedado embarazada, es posible que el daño a su bebé ya se haya consumado.

- **Mantenga su glucosa perfectamente controlada durante el embarazo.** Esto implica la necesidad de practicarse más análisis de glucosa. Si logra mantenerla debidamente controlada durante el embarazo, reducirá el riesgo de que tanto usted como su bebé tengan complicaciones.

- **Practíquese diariamente, por la mañana, el análisis de orina para determinar la presencia de cetonas.** Si presenta niveles de moderados a considerables, comuníquese inmediatamente con su médico. Es posible que necesite una modificación en su dieta o en su dosificación de la insulina.

- **Póngase en forma antes de quedar embarazada.** El ejercicio antes del embarazo puede aumentar su resistencia, ayudándole a bajar sus niveles de glucosa en sangre, a reducir su peso y a alcanzar mayor fuerza y flexibilidad.

- **Ejercicio durante el embarazo.** Ésta no es la mejor época para iniciar un programa vigoroso de ejercicios, pero usted y su médico pueden elaborar un programa de ejercicios que no presenten riesgos ni para usted ni para su bebé. Los más aconsejables son caminar, los aeróbicos suaves, la natación y los aeróbicos acuáticos.

- **Siga su plan alimentario para el embarazo.** Éste ha sido ideado para ayudarle a evitar las alzas o bajas de niveles de glucosa en sangre, proporcionándole al mismo tiempo las sustancias nutritivas que su bebé necesita para crecer. El embarazo no es buen momento para iniciar una dieta para perder peso.

# Enfermedad renal

Los riñones limpian la sangre, pues ésta circula a través de filtros situados en ellos. Los riñones sanos desechan los residuos a través de la orina y conservan los elementos útiles a la sangre. Sin embargo, la diabetes puede debilitarlos y los riñones débiles están expuestos a enfermedades.

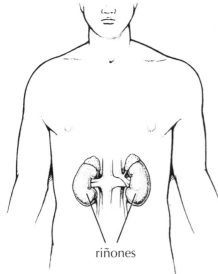

La enfermedad de los riñones se denomina nefropatía. Cuando se presenta esta lesión, los riñones pasan de realizar un trabajo muy pesado, como si los filtros estuvieran sobrecargados, a convertirse en filtros que fallan, que no

riñones

Los riñones están situados a ambos lados de la región lumbar.

pueden cumplir con su misión de filtrar los elementos residuales que lleva la sangre.

## Filtros sobrecargados

Los diabéticos por lo general presentan elevados niveles de glucosa en sangre, lo que exige a sus riñones trabajar más para filtrar la sangre con más frecuencia de la necesaria. Este trabajo exagerado puede ser demasiado duro para los filtros y éstos se pueden sobrecargar.

## Filtros con escapes

Los filtros sobrecargados pueden empezar a dejar pasar todos los elementos que teóricamente deberían filtrar. Uno de ellos es una proteína denominada albúmina, que los filtros dejan pasar a la orina. Una pequeña cantidad de albúmina en la orina es el primer signo de lesión en los riñones. Si pasan mayores cantidades, se produce una caída del nivel de albúmina en la sangre.

## Filtros con muchos escapes

Una de las tareas de la albúmina es mantener los niveles de agua en la sangre. Si no hay suficiente albúmina en la sangre, el agua escapa de los vasos sanguíneos y puede terminar acumulándose en los tobillos, el abdomen y el pecho, produciendo hinchazón en los tobillos, inflamación en el abdomen y dificultad para respirar. Éstos pueden ser los primeros síntomas físicos de que algo está fallando en sus riñones.

# Filtros que no filtran bien

Después de cierto tiempo, los filtros sobrecargados dejan pasar elementos que deberían filtrar, es decir, simplemente dejan de trabajar. Esto exige un trabajo extra de los que todavía están buenos. En un principio los filtros que no se han dañado trabajan más para reemplazar a los que han dejado de funcionar, pero llega un momento en el que ellos también cesan de hacerlo.

A medida que los filtros van dejando de trabajar, quedan menos para realizar el trabajo. Por fin, ninguno de los filtros está en condiciones de filtrar todos los residuos, y éstos se acumulan en la sangre.

# Filtros que fallan

Cuando los filtros de los riñones dejan totalmente de trabajar, los residuos acumulados en la sangre se elevan hasta alcanzar niveles tóxicos. Esto se denomina insuficiencia renal o enfermedad renal en fase terminal.

## *Síntomas de la insuficiencia renal*

| | |
|---|---|
| Mal sabor en la boca | Piernas inquietas |
| Falta de apetito | Dificultad para dormir |
| Trastornos estomacales | durante la noche |
| Cansancio durante el día | Vómito |
| Dificultad para concentrarse | Hematomas (moretones) sin |
| | causa aparente |

Una persona con insuficiencia renal necesita un trasplante de riñón o someterse a diálisis. En el trasplante, el enfermo recibe un riñón de otra persona. En la diálisis, se somete a un tratamiento para limpiar la sangre, aplicando una solución especial o utilizando una máquina.

Hay algunas precauciones que usted puede tomar para demorar el proceso de la enfermedad del riñón y así evitar o posponer una posible insuficiencia renal.

# Para demorar la enfermedad del riñón

- *Mantenga sus niveles de glucosa en sangre dentro de los niveles normales.* El mantenimiento de los niveles de glucosa en sangre lo más cerca posible de los normales se conoce como control estricto, y es, entre todas las medidas, la más eficaz para demorar el progreso de la enfermedad de los riñones.

- *Solicite a su médico que le practique controles para verificar cómo están trabajando sus riñones.* Existen exámenes de sangre y de orina para detectar el comienzo y el avance de la enfermedad del riñón. Hay dos clases de análisis de sangre (el de nitrógeno ureico y el de creatinina en suero o plasma) y uno de orina (creatinina en orina) cuyos resultados muestran si su riñón está desechando correctamente los residuos. Otro análisis de orina (tasa de excreción de albúmina) muestra si su riñón está filtrando insuficientemente.

- *Sométase a control de los ojos.* La mayoría de los diabéticos con enfermedad renal también tienen problemas en los ojos. Es más fácil identificar la lesión de los ojos que la de los riñones.

- *Esté pendiente de su tensión arterial.* Cuando los filtros de los riñones no están funcionando debidamente, el organismo tiende a retener la sal y el agua, lo cual puede elevar la tensión arterial. La tensión alta exige a los riñones un trabajo extra, lo cual puede llegar a lesionarlos.

Si tiene tensión arterial alta, trate de mantenerla por debajo de 130/80 mm Hg. Algunas de las maneras de bajar la tensión son perder peso, consumir menos sal y evitar las bebidas alcohólicas.

Consulte con su médico si considera necesario prescribirle algún medicamento para bajar su tensión arterial. Hay una clase de estas drogas, denominada inhibidores ACE (enzima convertidora de la angiotensina), que incluso puede hacer más lento el avance de la enfermedad del riñón.

- ***Disminuya el consumo de proteínas.*** La mayoría de los investigadores han encontrado que se puede demorar el avance de la enfermedad del riñón si se consumen menos proteínas. Sin embargo, no se ha llegado a un acuerdo sobre cuál es la cantidad óptima de proteínas que una persona debe consumir.

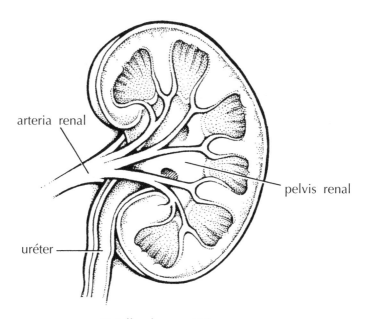

arteria renal

pelvis renal

uréter

Detalle de un riñón

Los alimentos con un alto contenido proteínico son la carne de res, el pescado, el pollo, los huevos, la leche, el queso, las legumbres, los cereales enteros, las nueces y las semillas. Busque la colaboración de un dietista para elaborar un plan alimentario con un bajo contenido de proteínas.

# Enfermedad vascular

Los diabéticos están más expuestos a sufrir de esta enfermedad, también conocida como arteriosclerosis o endurecimiento de las arterias.

En la arteriosclerosis, amplios vasos sanguíneos se estrechan o bloquean por la grasa y el colesterol que se adhieren a su interior. Este proceso de concentración de grasa y colesterol en los vasos sanguíneos puede disminuir o bloquear el flujo sanguíneo.

La disminución puede producir lesiones en el corazón (enfermedad de las arterias coronarias), en el cerebro (enfermedad cerebrovascular), o en las piernas y pies (enfermedad vascular periférica).

La falta de flujo sanguíneo al corazón puede ocasionar un ataque cardiaco. La falta de flujo sanguíneo al cerebro puede ocasionar un derrame cerebral o accidente cerebrovascular (véanse *Ataque cardiaco*, *Accidente cerebrovascular*). La disminución del flujo regular a las piernas y pies puede conducir a la amputación (véase *Cuidado de los pies*).

La enfermedad vascular se va produciendo lentamente. Con frecuencia usted no percibirá señal alguna antes de que se produzca. Si usted presenta alguno de los siguientes síntomas, de inmediato busque atención médica.

## Síntomas de la enfermedad de las arterias coronarias

- Dolor en el pecho (denominado angina)
- Dificultad respiratoria
- Sudoración
- Sensación de vértigo
- Náuseas
- Inflamación de los tobillos

## Síntomas de la enfermedad cerebrovascular

- Debilitamiento o adormecimiento de la cara, un brazo o una pierna
- Enturbiamiento o pérdida de la vista
- Dificultad para hablar o para entender cuando le hablan
- Dolor de cabeza muy fuerte

## Síntomas de la enfermedad vascular periférica

- Encalambramiento o endurecimiento de una o ambas piernas al caminar. Este síntoma se conoce con el nombre de claudicación intermitente
- Pies fríos
- Dolor en las piernas o pies cuando está descansando

- Caída del vello de los pies
- Piel estirada y brillante
- Engrosamiento de las uñas de los dedos de los pies

La enfermedad vascular puede iniciarse en la infancia y proseguir durante toda la vida. Con frecuencia los diabéticos contraen esta enfermedad mucho más jóvenes que quienes no tienen diabetes.

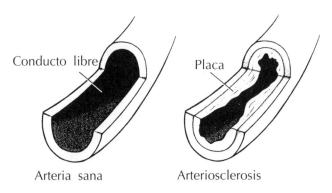

Arteria sana                Arteriosclerosis

# Corre riesgo de sufrir enfermedad vascular si:

- Fuma
- Sufre de tensión arterial alta
- Presenta altos niveles de colesterol
- Tiene exceso de peso
- Hay antecedentes de enfermedad vascular en la familia

El cigarrillo produce estrechamiento de los vasos sanguíneos. La tensión arterial alta puede producir debilitamiento de los vasos sanguíneos. Hay riesgo de que la grasa y el colesterol se adhieran a unos vasos sanguíneos debilitados y estrechos.

Tener alto el colesterol implica la posibilidad de que éste se adhiera a las paredes de los vasos sanguíneos, y quien tiene exceso de peso corre el riesgo de que su organismo deposite más grasa en su sangre.

## Para reducir el riesgo de enfermedad vascular:

- *Fume menos o deje el cigarrillo.* Dejar de fumar puede ser difícil, pero vale la pena. Es posible obtener el apoyo que usted necesita de los grupos de autoayuda para exfumadores o del equipo que lo orienta en lo relacionado con su salud.

- *Controle su tensión arterial.* Muchas personas pueden bajar su tensión arterial al perder peso haciendo dieta y ejercicio. Otras la controlan disminuyendo la sal en su dieta. También a veces son necesarios los medicamentos. Si su médico le ha recetado alguna medicina para controlar la tensión arterial, no olvide tomarla.

- *Esfuércese en bajar el colesterol.* Si le cuesta dejar algunos de sus platos favoritos, intente las versiones bajas en grasa de los mismos.

- *Haga ejercicio con frecuencia.* Incluso, un corto paseo diario alrededor de la cuadra ayuda. Trate de encontrar ejercicios que le agraden.

- *Mentalícese para alcanzar un peso saludable.* Combine un programa de ejercicios con un plan alimentario que se acomoden a su horario y gustos.

- *Mantenga controlada su diabetes.* Realice los controles de glucosa. Tome su insulina o sus tabletas para la diabetes. Siga su plan alimentario. Sea fiel a su plan de ejercicio. Lleve un registro.

- *Sométase a controles médicos con regularidad.* Su médico le practicará análisis para prevenir una posible enfermedad vascular y lo ayudará a no perder de vista su tensión arterial, los niveles de grasa en la sangre y el control de la glucosa en sangre.

# *Enfermedades*

Un resfriado o una gripe pueden entorpecer su plan de cuidados de la diabetes. Es posible que no pueda administrarse las dosis acostumbradas de su medicamento, ni comer a las horas cuando acostumbra hacerlo. Es más, es posible que ni siquiera tenga ganas de comer. Cuando usted está enfermo, puede experimentar alzas o bajas exageradas de sus niveles de glucosa en sangre.

Para no descuidar su diabetes en tales días, es necesario elaborar un plan especial que lo ayudará a establecer qué medicamentos tomar, qué comer y beber, con qué frecuencia practicarse los análisis, cuándo llamar al médico y qué decirle. Su médico y su orientador pueden ayudarlo a preparar un plan para estas ocasiones.

## Qué medicamentos tomar

Lo más probable es que pueda continuar tomando sus tabletas para la diabetes o aplicándose la insulina. Incluso existe la posibilidad de que necesite dosis adicionales.

Si tiene diabetes tipo 1 y sus niveles de glucosa están subiendo, es posible que, para bajarlos, su médico le prescriba dosis adicionales de insulina corriente. Si tiene diabetes tipo 1 y su estómago no está funcionando en la forma debida o está inapetente, es posible que necesite aplicarse insulina de acción prolongada. Si utiliza la bomba de insulina, tal vez necesite ajustar su dosis actual.

Si controla su diabetes con dieta y ejercicio, o con tabletas, es posible que necesite aplicarse insulina corriente cuando se encuentre enfermo. Su médico puede ordenarle que mantenga una botella de insulina a mano cuando no se encuentre bien. Asegúrese de haber aprendido a inyectarse la insulina antes de que se le presente una situación como ésta.

Es posible que usted decida tomar otro tipo de medicamentos para atacar su enfermedad. Algunos pueden afectar sus niveles de glucosa. Los descongestionantes y ciertos jarabes para la tos pueden producirle alzas en sus niveles de glucosa. Consulte con su médico o con un farmacéutico si los medicamentos que piensa tomar pueden afectar sus niveles de glucosa en sangre.

## Qué comer y beber

Si puede, consuma alimentos de los incluidos en su plan alimentario. Si le es imposible mantener su dieta normal, entonces siga el plan para los días malos. Éste debe incluir alimentos suaves que no le produzcan molestias estomacales.

Cada hora procure comer algún alimento que contenga aproximadamente 15 gramos de hidratos de carbono (véase la lista que incluimos a continuación). Si tiene fiebre, vómito o diarrea, es posible que pierda demasiado líquido. Trate de beber una taza de líquido cada hora.

Si su nivel de glucosa está por encima de los 240 mg/dl, beba líquidos sin azúcar como agua, té descafeinado, *ginger ale* sin azúcar o caldo (de pollo, carne o verduras).

Si su nivel de glucosa está por debajo de los 240 mg/dl, beba líquidos con aproximadamente 15 gramos de hidratos de carbono (véase la lista que sigue).

**Lista de comidas y bebidas
para los días malos
(con aprox. 15 gramos de hidratos de carbono)**

---

6 galletas de sal

5 galletas *wafers*

3 galletas integrales

1 rebanada de pan tostado

1 taza de sopa

1 taza de bebida para deportistas

$1/_2$ taza de jugo de fruta

$1/_4$ de taza de jugo de manzana

$1/_4$ de taza de pudín

$1/_2$ taza de helado

$1/_2$ taza de cereal cocido

$1/_2$ taza de puré de papas

$1/_3$ de lata de una bebida corriente no alcohólica

$1/_3$ de taza de arroz

$1/_3$ de taza de yogur con sabor a fruta

$1/_2$ taza de gelatina corriente

$1/_4$ de taza de sorbete

---

# Con qué frecuencia se deben practicar los análisis

Cuando usted está enfermo, su organismo produce hormonas que le ayudan a luchar contra la enfermedad. Éstas pueden hacer que sus niveles de glucosa en sangre se eleven. También pueden dificultarle a su organismo la utilización de la insulina.

Si no tiene suficiente insulina en su sangre o no siente apetito, su organismo dejará de recibir la energía que

necesita. Entonces es posible que su organismo empiece a descomponer la grasa para generar energía, y entonces produce residuos denominados cetonas. Grandes cantidades de cetonas pueden hacerle mucho daño a usted.

Si se encuentra enfermo, es posible que su médico le pida practicarse con más frecuencia los análisis de glucosa en sangre y de cetonas en la orina. El plan para los días malos que usted prepare con su asesor para controlar su diabetes, le indicará con qué frecuencia debe practicarse los análisis.

Si tiene diabetes tipo 1, es posible que necesite practicarse análisis de glucosa en sangre y de cetonas en la orina cada 3 ó 4 horas. Si tiene diabetes tipo 2, puede necesitar practicarse los análisis de glucosa 4 ó 5 veces al día, y los de orina para detectar la presencia de cetonas solamente si su nivel de glucosa está por encima de los 240 mg/dl.

## ¿Qué hacer respecto al ejercicio?

Cuando se encuentre enfermo, no haga ejercicio porque puede ocasionarle bajas o alzas exageradas en sus niveles de glucosa. Además, puede prolongar más el proceso de mejoría e incluso, hacer que su salud empeore. Un resfriado corriente se puede convertir en bronquitis o neumonía.

Consulte con su médico cuándo puede volver a hacer ejercicio. Como después de estar enfermo es posible que usted se encuentre más débil, reanude lentamente su programa de ejercicio. Una posibilidad es tratar de realizar sus ejercicios con menor intensidad, por períodos más cortos o durante menos días en la semana.

## Cuándo llamar al médico

Debe llamarlo si:

- Ha estado enfermo durante 2 días y no siente ninguna mejoría.

- Ha tenido vómito o diarrea por más de 6 horas.

- Sus niveles de glucosa en sangre se mantienen por encima de los 240 mg/dl.

- Presenta entre moderadas y elevadas cantidades de cetonas en la orina.

- Presenta alguno de los siguientes síntomas: dolor en el pecho, dificultad respiratoria, aliento pastoso, labios o lengua secos y cuarteados.

- No está seguro de qué hacer respecto a su salud.

## Qué debe decirle a su médico

Registre por escrito los pormenores de su enfermedad, a fin de poder informarle acerca de:

- Cuántos días ha estado enfermo.
- Qué medicamentos y en qué cantidades ha estado tomando.
- Si fue capaz de comer y beber.
- Qué cantidades ha podido comer y beber.
- Si ha tenido vómito o diarrea.
- Si ha perdido peso.
- Qué temperatura tiene.
- Sus niveles de glucosa.
- Sus niveles de cetonas en la orina.

# Enfermedades de los ojos

Los diabéticos corren más riesgo de sufrir enfermedades de los ojos que los no diabéticos. Las tres principales enfermedades oculares que pueden afectar a los diabéticos son la retinopatía, las cataratas y el glaucoma, entre las cuales la primera es la más común.

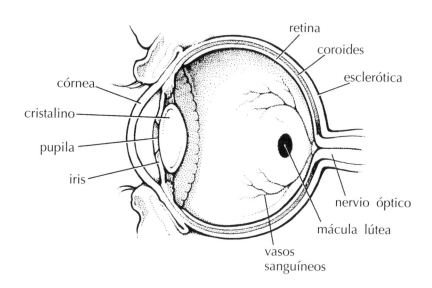

# Retinopatía

La retina es la membrana interior del ojo que percibe la luz. El oxígeno es llevado a la retina por pequeños vasos sanguíneos. La retinopatía lesiona los vasos sanguíneos de la retina. Las dos formas más importantes de retinopatía se denominan no proliferante y proliferante.

## Retinopatía no proliferante

En la retinopatía no proliferante (o de fondo), los pequeños vasos sanguíneos de la retina se abultan y forman bolsas. Esto los debilita. Es posible que dejen escapar un poco de líquido, lo que por lo general no afecta la vista. Además, la enfermedad casi nunca se agrava.

Si la enfermedad se agrava, los vasos sanguíneos debilitados dejan escapar no sólo una mayor cantidad de líquido, sino también sangre y grasas, lo que produce una inflamación en la retina. Esta inflamación sólo afecta la vista si se presenta en el centro de la retina.

El centro de la retina se denomina mácula lútea, y ésta es la que permite percibir con la vista los pequeños detalles. La inflamación de la mácula se denomina edema macular, edema que puede enturbiar, distorsionar, reducir u oscurecer la vista.

## Retinopatía proliferante

La retinopatía no proliferante puede llegar a convertirse en retinopatía proliferante, que se produce cuando la lesión de los vasos sanguíneos es tan grave que éstos se obstruyen totalmente, como reacción a lo cual se forman muchos vasos sanguíneos en la retina, que al crecer generan nuevas ramificaciones que se extienden en el ojo.

Estos cambios no siempre afectan la vista, pero es posible que lleguen a limitar el campo visual; es decir, que impidan ver hacia los lados. También es posible que dificulten ver en lugares poco claros o que causen molestias en el paso de lugares claros a oscuros.

Por otra parte, los vasos sanguíneos nuevos son débiles y pueden llegar a ocasionar problemas. Se pueden romper y sangrar dentro del humor acuoso que llena el centro del ojo. Esto se conoce como hemorragia del cuerpo vítreo. Los síntomas más corrientes de dicha hemorragia son la aparición de manchas en el campo visual o el enturbiamiento de éste. Si la hemorragia del cuerpo vítreo no se trata, incluso es posible llegar a perder la vista.

Estos vasos sanguíneos nuevos también pueden llegar a ocasionar la formación sobre la retina de un tejido similar al de una cicatriz, que puede deformar la retina y desplazarla de su lugar. Esta lesión se conoce con el nombre de desprendimiento de retina, el cual  puede ocasionar que usted vea una sombra o una amplia zona oscura, e incluso puede llegar a poner en peligro su visión.

## Síntomas de la retinopatía

- Visión borrosa.
- Ver manchas.
- Ver una sombra o zona oscura.
- Imposibilidad de ver hacia los lados.
- Dificultad para ver de noche.
- Dificultad para leer.
- Líneas rectas que no se ven como tales.

**Si presenta alguno de estos síntomas, consulte inmediatamente con el oftalmólogo.**

**Nota importante:** por lo general, usted no puede percibir las primeras señales de una lesión de su retina, pero su médico sí. No pase por alto su chequeo oftalmológico anual, a fin de prevenir una retinopatía.

## Cataratas

Una catarata es una especie de nube que se forma en el cristalino. Por lo general, el cristalino es claro. Está situado detrás del iris (la parte coloreada del ojo) y de la pupila (el orificio oscuro). El cristalino enfoca la luz hacia la retina; cuando se enturbia por la presencia de una catarata, bloquea la entrada de la luz.

Casi siempre, las cataratas son muy pequeñas cuando empiezan a formarse. Algunas nunca llegan a empeorar la visión. En cambio, hay otras que bloquean parcial o totalmente la vista. La magnitud del daño que pueda producir una catarata depende de tres cosas: 1) su tamaño, 2) su espesor, y 3) su ubicación en el cristalino. En consecuencia, los síntomas que indican la presencia de cataratas pueden variar.

## Síntomas de cataratas

- Visión nublada, borrosa, turbia.
- Usted cree que necesita nuevos lentes.
- Aunque le formulan nuevos lentes, su visión no mejora.
- Empieza a tener dificultades para leer y para hacer trabajos que requieren mucho cuidado.
- Parpadea constantemente para tratar de ver mejor.
- Siente como si tuviera un velo sobre los ojos.

- Siente como si estuviera mirando a través de un cristal opaco, o a través de una cascada.

- La luz del sol o de las lámparas le parece demasiado brillante.

- De noche ve las luces delanteras de los otros automóviles más brillantes que antes o las ve dobles o lo deslumbran.

- Su pupila, generalmente negra, se ve gris, amarilla o blanca.

- Todos los colores carecen para usted de intensidad.

**Si presenta alguno de estos síntomas, consulte con el oftalmólogo.**

## Glaucoma

El glaucoma se produce por una acumulación de líquido en el ojo, la cual ocasiona un aumento de la presión intraocular. La presión puede llegar a producir lesiones en el nervio óptico, que es el que transmite al cerebro lo que se percibe con los ojos. Hay dos clases de glaucoma.

El más común es el crónico de ángulo abierto. En este glaucoma, la presión del líquido se va acrecentando lentamente con el transcurso de los años, pero el enfermo por lo general no lo nota. Es posible que sienta un aumento de la presión, o que sus ojos estén permanentemente llorosos.

A medida que el glaucoma se agrava, el afectado puede empezar a percibir cierto emborronamiento en la vista, puede tener la impresión de que necesita cambio de lentes y se le dificulta ver en sitios poco claros. Si el glaucoma no es atendido, es posible que pierda la vista.

El tipo menos común es el glaucoma de ángulo cerrado agudo. En este caso el líquido se acumula rápidamente, produciendo un fuerte aumento de la presión intraocular, que causa mucho dolor. Los ojos se empañan y hay un lagrimeo permanente. El enfermo ve halos de color alrededor de las luces brillantes. Hay casos en los cuales incluso puede llegar a tener vómito.

**Si se le presenta alguno de estos síntomas, acuda inmediatamente al servicio de urgencias de un hospital o de una clínica oftalmológica.**

# Para mantener la salud de sus ojos

*Mantenga sus niveles de glucosa en sangre lo más cerca de los niveles normales.* Si logra mantener estos niveles, usted disminuirá los riesgos de contraer enfermedades de los ojos y hará más lento el proceso de las que ya se hayan manifestado.

*Controle su tensión arterial.* Una tensión arterial elevada puede empeorar las afecciones de los ojos. La forma de mantener su presión controlada es tener cuidado con su peso, consumir menos sal y evitar las bebidas alcohólicas. Su médico puede indicarle cuáles medicamentos debe tomar (en caso de necesidad) para bajar su tensión arterial.

*Deje de fumar.* El cigarrillo produce lesiones en los vasos sanguíneos.

*Procure bajar el nivel de colesterol.* Un alto grado de colesterol también produce lesiones en los vasos sanguíneos.

*Sométase a un control oftalmológico anual.* Muchas enfermedades de los ojos pueden surgir sin que usted note los síntomas. Los oftalmólogos disponen de los elementos que les permiten examinar los ojos para hacer un diagnóstico temprano de cualquier lesión. Cuanto más pronto se encuentre la lesión, mayores serán las posibilidades de hacer tratamientos que puedan salvarle la vista.

# Equipo médico

El equipo médico que lo ayudará a manejar su diabetes puede estar constituido por profesionales de la salud especializados en distintas áreas, como un endocrinólogo o un especialista en diabetes (véase *Médico*), un dietista (véase *Dietista*), un fisiólogo del ejercicio (véase *Ejercicios aeróbicos, de fortalecimiento* y *para adquirir flexibilidad*), un especialista en salud mental (que podrá ayudarlo con los problemas emocionales que surjan a raíz de su diabetes), un oftalmólogo (véase *Enfermedades de los ojos*), un podiatra o médico especializado en el cuidado de los pies (véase *Cuidado de los pies*) y un odontólogo (véase *Cuidado de la dentadura*), entre otros. Su médico de cabecera, que probablemente es el especialista en el cuidado de la diabetes, podrá ayudarlo a encontrar a los otros miembros del equipo.

El equipo médico le enseñará todo lo que necesita saber en relación con su diabetes y cómo hacer que el cuidado forme parte de su vida; sin embargo, todos estos profesionales cuentan con usted para que los mantenga informados sobre la marcha del plan de control de la diabetes y sobre sus necesidades y preocupaciones específicas, porque, después de todo, usted es el miembro más importante del equipo.

El médico especializado en el cuidado de la diabetes será la persona encargada de orientarlo en todo lo relacionado con el manejo diario de su enfermedad. Le explicará qué es la diabetes y aspectos tales como:

- Cómo utilizar las tabletas para la diabetes.
- Cómo utilizar la insulina.
- Cómo inyectarse la insulina usted mismo.
- Cómo utilizar una bomba de insulina.
- Cómo practicarse los autoanálisis de glucosa en sangre.
- Cómo llevar el registro del control de su diabetes.
- Cómo identificar los síntomas de baja o alza de los niveles de glucosa.
- Cómo enfrentar y cuidar las alzas o bajas de los niveles de glucosa.
- Cómo manejar los días de crisis de la enfermedad.
- Cómo conservarse saludable durante el embarazo.

En cuanto a los otros especialistas, cada uno de ellos prestará su concurso a lo largo del tramiento desde su área específica, según usted lo vaya necesitando. Asegúrese, sin embargo, de que todos sus médicos sepan que usted sufre de diabetes y pídales siempre que trabajen en coordinación con su médico de cabecera.

# Estrés

Nuestra vida está llena de situaciones que causan estrés. Éste puede ser físico, como sufrir una herida o enfrentar alguna enfermedad, o también puede ser mental, como el ocasionado por problemas de trabajo, conyugales o económicos. En algunos casos el estrés puede ser positivo, como cuando se produce por una competición. Bueno o malo, el estrés que dura algún tiempo puede agotar a quien lo sufre. De la diabetes se deriva un estrés físico que dura mucho tiempo. Tener que prestarle atención a su diabetes seguramente hará que se sienta estresado.

Cuando usted se siente estresado, su organismo se apresta para la acción y bombea las hormonas del estrés a su sangre. Éstas hacen que su organismo libere parte de la glucosa y de la grasa que tiene almacenada, a fin de generar las cantidades extras de energía que necesita para ayudarlo a enfrentar o a protegerse del estrés. Sin embargo, sólo si tiene suficiente insulina su organismo podrá utilizar tanto la glucosa como la grasa liberadas.

Los diabéticos pueden no tener la insulina que necesitan. A su vez, las hormonas del estrés pueden además dificultarle a su organismo la utilización de la insulina, aunque disponga de ella. Cuando el organismo no tiene suficiente insulina, la glucosa y la grasa se acumulan en la sangre, lo que puede conducir tanto a un alza de los niveles de glucosa en sangre como de las cetonas.

Para evitar esta situación, es indispensable que usted sepa qué les sucede a sus niveles de glucosa en sangre cuando se encuentra sometido a situaciones estresantes. Claro está que todo depende del tipo de estrés al cual se encuentre sometido. Por lo general, el estrés físico tiende a elevar los niveles de glucosa en sangre en la mayoría de los diabéticos. El estrés mental produce efectos diferentes. En algunos diabéticos eleva los niveles de glucosa en sangre, mientras que en otros, por el contrario, los hace descender. Para medir cómo afecta sus niveles de glucosa, puede tratar de hacer la siguiente prueba.

## Prueba para medir el efecto del estrés en los niveles de glucosa en sangre

Antes de someterse al análisis para medir sus niveles de glucosa, intente determinar el nivel de estrés a que se halla sometido y califíquelo ya sea de 1 a 10 o con las palabras *alto, medio* o *bajo*. Una vez hecho esto, anote en su registro cuál fue su calificación. Hágase inmediatamente después el análisis de glucosa y anote el resultado. Repita esto durante 1 ó 2 semanas.

Después compare los resultados de los análisis de glucosa con los del índice de estrés. Si las alzas de glucosa coinciden con los momentos de mayor estrés, es posible que usted necesite más insulina cuando se encuentre más estresado. Consulte primero con su médico.

# Para manejar el estrés

1. Haga una lista de lo que le causa estrés. Todas las personas somos diferentes y lo que para usted quizá pase inadvertido, puede ser la causa de muchísimo estrés para otra persona. La lista de situaciones estresantes que incluimos a continuación puede ayudarlo a empezar a identificar cuáles lo afectan a usted:

| | | |
|---|---|---|
| Trabajo | Desempleo | Retiro |
| Enfermedad | Padres ancianos | Pena profunda |
| Divorcio | Parientes políticos | Separación |
| Hijos | Vacaciones | Viajes |
| Tránsito | Problemas con el automóvil | |
| Traslados | | |

2. Dilucide cómo reacciona usted ante las situaciones estresantes. Es muy posible que sus reacciones y sensaciones sean completamente diferentes de las de otras personas. Puede sentirse tenso, ansioso, molesto o enojado. O puede sentirse cansado, triste o vacío. O quizá le duela el estómago o la cabeza.

3. Trate de modificar sus reacciones al estrés. Por lo general, es imposible cambiar las situaciones que causan estrés, pero lo que sí es susceptible de modificar son nuestras reacciones. Si se siente estresado, intente utilizar las tácticas que se ofrecen a continuación. Trate de determinar cuáles son las que más le sirven a usted.

# Para reducir el estrés

**Haga ejercicios de respiración profunda.** Siéntese o acuéstese. Cierre los ojos. Aspire profunda y lentamente.

Exhale, haciendo salir todo el aire. Repita el ejercicio de nuevo.

Empiece relajando los músculos. Mantenga el ritmo de aspiración, espiración. Cada vez que exhale, relaje aún más los músculos. Repita durante 5 a 20 minutos. Haga esto al menos una vez al día.

**Relájese.** Acuéstese y cierre los ojos. Tense y relaje los músculos de todo el cuerpo. Empiece con los de la cabeza y siga de ahí para abajo hasta llegar a los de los pies.

**Desentumézcase.** Realice movimientos circulares, estirando y sacudiendo las distintas partes del cuerpo.

**Reciba un masaje.** Póngase en manos de un fisioterapeuta o un masajista especializado.

**Trate de pensar positivamente.** Tenga en cuenta que sus pensamientos inciden en sus sentimientos. Ponga en práctica el siguiente procedimiento: colóquese una banda elástica en la muñeca, y cada vez que tenga un pensamiento negativo, tire de ella y suéltela para recordar que debe reemplazarlo por uno mejor. También puede tratar de recordar algún poema alegre, una frase amable o una oración.

**Hable de lo que le preocupa.** Comparta sus problemas. Esto puede hacerlo sentir mejor. Confíe en alguien de su familia o en algún amigo. Consulte con un psicoterapeuta o intégrese a un grupo de apoyo. Hay muchas otras personas que están pasando por situaciones similares a la suya.

**Consígnelo por escrito.** Escriba acerca de lo que le está preocupando. Es posible que así encuentre solución al problema. También puede intentar alejar sus preocupaciones dándoles forma en un dibujo o en una pintura.

***Trate de iniciar una actividad nueva.*** Emprenda un nuevo pasatiempo o aprenda algún arte manual. Tome alguna clase. Hágase miembro de algún club o equipo. Ofrézcase como voluntario en una escuela, hospital, iglesia, grupo caritativo o cualquier organización de trabajo con la comunidad. Trate de salir a otra parte durante el fin de semana.

***Manténgase activo.*** Algunas de las actividades que más ayudan a dar salida al estrés son las prácticas deportivas, como el ciclismo, las carreras y la natación. Si no le gusta ninguno de estos deportes, escoja alguno que le agrade y practíquelo a menudo.

***Escuche música.*** Esto le dará sosiego y tranquilidad. O ponga un disco o un casete con sonidos de la naturaleza, como el canto de los pájaros o el murmullo de las olas del mar.

***Tome un baño con agua tibia.*** Para que el baño sea reconfortante, lo mejor es que el agua esté más o menos a la misma temperatura del cuerpo. Tal vez entre los 29 y 34 °C. Permanezca en el agua durante 20 a 30 minutos. Añada al agua sales o hierbas aromáticas calmantes, si lo desea.

***Aprenda a decir no,*** en especial a las cosas que no quiere hacer. Es posible que se sienta estresado si asume demasiadas tareas y compromisos a la vez.

**Aprenda a reír.** La risa es saludable. Vea películas divertidas y lea libros divertidos. Reúnase con personas divertidas.

**Contemple la naturaleza.** Mire el mundo que lo rodea: las flores, los árboles, incluso los insectos; el sol, la luna y las estrellas; las nubes, el viento y la lluvia. Sólo salga y deje pasar el tiempo. Si le es imposible salir, mire a través de la ventana. Incluso contemplar un cuadro con un paisaje puede ayudarlo a calmarse y relajarse.

**Coma inteligentemente.** Cuando usted se encuentra estresado, su organismo puede consumir más vitaminas B y C, proteínas y calcio. Reponga sus vitaminas B comiendo más cereales integrales, nueces, semillas y fríjoles. Incremente su vitamina C comiendo naranjas, toronjas y bróculi. Refuerce sus proteínas comiendo pollo, pescado y claras de huevo. Abastézcase de calcio consumiendo leche, yogur y queso bajos en grasa.

**Duerma bien.** Hay ocasiones cuando las cosas se ven mejor al día siguiente. Duerma de 7 a 9 horas diarias.

# Exceso de peso

Si usted tiene sobrepeso, uno de los mejores tratamientos para la diabetes tipo II es perder unos cuantos kilos. Esto contribuirá a bajar su tensión arterial y a disminuir el riesgo de enfermedad cardiaca y vascular, como también mejorará su control de los niveles de glucosa en sangre.

Y este control puede mejorar tanto, que incluso es posible llegar a suspender la insulina o las tabletas para la diabetes. En algunos casos, perder entre 5 y 10 kilos puede ser suficiente para mejorar su control de la diabetes, aun si con ello no alcanza su peso ideal.

Para determinar cuál es su peso ideal, primero mídase. Para las mujeres la base es 50 kg por los primeros 152 cm de estatura, y a partir de allí 2 $\frac{1}{2}$ kg por cada 2 $\frac{1}{2}$ cm que sobrepase los 152 cm. Para los hombres la base es 53 kg por los primeros 152 cm y 3 kg adicionales por cada 2 $\frac{1}{2}$ cm que exceda los 152 cm.

La cifra resultante sería su peso ideal, si tiene estatura media. Quítele un 10% si su estatura es baja, y si es alta añádale 10%. Si está 30% por encima de su peso ideal, tiene sobrepeso.

Si es así, consulte con los miembros de su equipo

médico para determinar cuánto debe perder y después establezca cuál es la meta que quiere alcanzar. Entonces subdivídala, a fin de establecer metas cortas que pueda alcanzar fácilmente; por ejemplo, metas semanales o mensuales.

A medida que vaya alcanzando las metas inmediatas, prémiese regalándose algo, como un libro, un disco compacto, una salida o una prenda de vestir. Cuando se haya fijado las metas, estará listo para empezar a cumplir su programa de pérdida de peso.

**La única manera de perder peso es comer menos y hacer más ejercicio. La única manera de mantenerse bajo de peso es conservar estos hábitos incluso después de haber perdido suficiente peso.**

## Comer menos

Comer menos significa, en realidad, consumir menos calorías. Para hacer esto, es posible que necesite comer porciones más pequeñas. O también podría comer las mismas cantidades si cambia el tipo de alimentos que acostumbra, e incluye otros más bajos en calorías.

La grasa tiene más del doble de calorías que los hidratos de carbono o las proteínas. Por consiguiente, si usted consume menos grasa y más hidratos de carbono y proteínas, estará ingiriendo menos calorías.

Para consumir menos grasa, pruebe las versiones bajas en grasa o sin grasa de sus alimentos favoritos. Ase a la parrilla o al horno, cocine al vapor o hierva la comida en vez de freírla. Consuma menos mantequilla, margarina, aceite y salsas. Limite al mínimo el consumo de alimentos con alto contenido calórico y bajo valor nutritivo, como postres, gaseosas y papas fritas.

Para obtener más hidratos de carbono, elija alimentos

con alto contenido de fibra como frutas, verduras, pan y cereales integrales, y pastas. Para obtener más proteínas, elija los fríjoles, la carne de res magra, el pescado y las aves sin piel.

## Sugerencias para la dieta

- Sirva su plato en la cocina y no ponga bandejas en la mesa. Así le será más difícil repetir.

- Coma despacio y deje de comer cuando se sienta lleno, no demasiado lleno.

- No mire televisión, ni lea ni escuche radio mientras come. Estas actividades pueden distraerlo, lo que le impedirá darse cuenta de las cantidades que está comiendo.

- Cepíllese los dientes inmediatamente después de comer. Así alejará de su boca el gusto de la comida, lo cual puede ayudarle a dejar de pensar en ella.

- No vaya al supermercado cuando tenga hambre. Puede tender a comprar demasiadas cosas.

- Haga una lista por escrito de lo que va a mercar y compre sólo lo que figura en la lista.

- Almacene los alimentos fuera de su vista.

- Coma algo antes de ir a cualquier reunión social. De este modo quizá logre controlar los deseos de comer alimentos que engordan.

- No omita ninguna de las comidas regulares, pues cuando coma tendrá la tentación de excederse.

- No se prive de ciertos alimentos; eso hará que los

desee más. Más bien, trate de reducir las porciones o el número de veces que los consume.

# Haga más ejercicio

El ejercicio le ayuda a bajar de peso, puesto que contribuye a que usted queme más calorías de las que consume. Si usted hace ejercicio regularmente, sus músculos quemarán calorías incluso cuando esté descansando.

La cantidad de calorías que queme dependerá del tipo de ejercicio que realice. Hay algunos muy buenos para ayudarle a perder peso, como caminar rápidamente, nadar con cierta velocidad, montar en bicicleta y hacer algunos aeróbicos de bajo impacto.

Lo mejor es hacer ejercicio a un ritmo moderado durante períodos largos. Si los hace a un ritmo muy acelerado, es posible que se canse antes de que haya logrado quemar suficientes calorías.

Cuanto más tiempo permanezca haciendo ejercicio, mayor cantidad de calorías quemará. Trate de hacer un ejercicio aeróbico por 45 a 60 minutos, cuatro o más veces por semana.

Para quemar más calorías, incluya otras actividades físicas en su programa diario. Camine, no se movilice siempre en automóvil. Suba por las escaleras y no por el ascensor. Juegue con sus hijos. Trabaje en el jardín. Por la noche, salga a jugar a los bolos o a bailar en vez de sentarse frente al televisor.

## Motivaciones

- Elija ejercicios y actividades físicas que le proporcionen placer.

- Escoja un momento y un lugar apropiados para el ejercicio.

- No se preocupe si pesa más durante los primeros meses. Lo más posible es que esté reemplazando el tejido graso por músculos, que pesan más que la grasa.

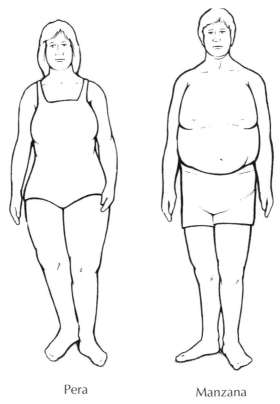

Pera                    Manzana

De quienes sobrellevan la mayor cantidad de peso en las caderas y los muslos, se dice que tienen el cuerpo en forma de pera; y de quienes lo sobrellevan alrededor de la cintura y el abdomen, se dice que tienen el cuerpo en forma de manzana. Estos últimos son más propensos a sufrir de enfermedad vascular y cardiaca y de hipertensión, y a tener altos niveles de grasa en la sangre, resistencia a la insulina y un control deficiente de los niveles de la glucosa en sangre.

- Revise sus medidas con un metro; esto le permitirá verificar si está adelgazando.

## Cómo mantenerse en el peso alcanzado

La peor parte empieza cuando llegue al peso ideal, puesto que mantenerse en él es más difícil que adelgazar.

La mayoría de las personas tienden a volver a engordar; incluso, muchas ganan más peso del que habían perdido. Esto se debe a que la gente, cuando ha perdido peso, tiende a recuperar sus viejos hábitos, tanto en la alimentación como en el ejercicio.

Para mantener su peso ideal, es necesario que conserve sus nuevos hábitos. No retome los antiguos; si lo hace, volverá a ganar el peso que perdió con tanta dificultad.

# Glucosa en sangre

Los alimentos que usted come son transformados en glucosa por su organismo. La glucosa, que es azúcar, se desplaza a través de la sangre para depositarse en las células, las cuales la utilizan para generar energía. Para penetrar en las células, la glucosa necesita de la ayuda de la insulina.

Las personas con diabetes tienen problemas con la insulina. En ocasiones su organismo carece de insulina (véase *Diabetes, tipo 1*), y en otras, aunque la tiene, le es difícil utilizarla o no cuenta con la cantidad suficiente (véase *Diabetes, tipo 2*).

Cuando la insulina no puede realizar su cometido, a la glucosa le es imposible penetrar en las células y se acumula en la sangre. La cantidad de glucosa en la sangre es lo que se denomina nivel de glucosa en sangre.

La presencia de demasiada glucosa en sangre se denomina hiperglucemia o altos niveles de glucosa. Cuando, por el contrario, hay muy poca, esto se conoce como hipoglucemia o baja de los niveles de glucosa en sangre. Cuando se presenta ya sea una baja o un alza muy fuerte del nivel de glucosa en su sangre, usted puede sentirse muy mal y, además, esto puede llegar a producir lesiones en el organismo (véanse *Glucosa en sangre: alta; Glucosa en sangre: baja*).

A fin de sentirse bien y permanecer saludable, mantenga los niveles de azúcar entre los altos y los bajos. Su médico le indicará los niveles adecuados. (Véase la tabla siguiente.)

Conservar los niveles adecuados de azúcar en la sangre evitando las alzas y las bajas requiere de esfuerzo. Puede hacerlo si lleva una dieta balanceada, hace ejercicio y toma tabletas para la diabetes o insulina. Una de las mejores herramientas es someterse periódicamente a análisis de sangre. Además, a continuación le ofrecemos algunos consejos que pueden serle útiles.

| Niveles ideales de glucosa para personas con diabetes | |
| --- | --- |
| **Hora** | **Glucosa** (mg/dl) |
| Por la mañana, antes del desayuno | 80 a 120 |
| Antes de las comidas | 80 a 120 |
| Una a dos horas después de una comida | Menos de 180 |
| A la hora de acostarse | De 100 a 140 |
| A las tres de la mañana | Más de 80 |

Estos niveles corresponden a análisis efectuados por usted mismo en casa (véase *Glucosa en sangre: autoanálisis*) y no a los realizados en laboratorios. Es posible que éstos no sean los mejores niveles para usted. Consulte con su médico cuáles deben ser los niveles que le corresponden a usted.

# Alimentación

- Siga su plan de comidas (véase *Plan alimentario*).
- Incluya refrigerios ligeros en su plan diario sólo si su médico o su dietista se los recomienda.
- Organícese para comer los refrigerios o las comidas todos los días a la misma hora.
- No omita ni postergue ninguna comida o refrigerio.
- Consuma las mismas cantidades de alimentos cada día.
- Si está tomando insulina, solicite a su médico o a su enfermera indicaciones sobre cómo equilibrar su dosis cuando quiera comer más o menos de lo acostumbrado.

# Actividad

- Siga su programa de ejercicios.
- Si está tomando insulina o tabletas para la diabetes y piensa hacer ejercicio por un período superior a una hora, tome algún refrigerio. Por ejemplo, un poco de fruta, media taza de jugo, media rosquilla o un panecillo. Consulte con un dietista o un orientador de diabéticos sobre qué cantidad de comida debe ingerir a diario y a qué horas.
- No olvide verificar sus niveles de glucosa después de hacer ejercicio. El ejercicio baja los niveles de glucosa por un período comprendido entre las 10 y las 24 horas después de realizarlo.
- Si toma insulina, consulte con su médico o consejero para verificar si es necesario que le revisen la dosis

para que pueda hacer ejercicio sin que se produzca ninguna descompensación en su organismo.

## Tabletas para la diabetes o insulina

- Siga las instrucciones de su especialista en relación con las dosis de insulina o de tabletas para la diabetes.

- Consulte con su médico acerca de la posibilidad de cambiar, ya sea la insulina o las tabletas para la diabetes, si observa que los niveles de glucosa en su sangre no están dentro de las escalas establecidas. Es posible que necesite una dosis diferente o un cambio en el tipo de medicina que está tomando en la actualidad.

- Si toma insulina, consulte con su médico cuáles son los mejores lugares para inyectarse. Algunas personas han encontrado que inyectarla en el mismo lugar ayuda a mantener estables los niveles de glucosa en sangre.

- Piense en la posibilidad de utilizar una bomba de insulina. Ésta puede imitar mejor la producción natural de insulina que las inyecciones (véase *Bombas de insulina*).

## Análisis

- Revise con frecuencia su nivel de glucosa en sangre. Si lo hace una vez al día, ¿por qué no hacerlo dos o tres?

- Revise sus niveles de glucosa en sangre si:
  — Consume demasiada o muy poca comida.

— Se demoró en tomar alguna comida u omitió una de ellas.

— Está enfermo.

— Está muy estresado.

— Olvidó tomar su insulina o sus tabletas para la diabetes.

— Se administró más insulina de la prescrita.

— Tomó más tabletas para la diabetes de las debidas.

— No hizo el ejercicio acostumbrado.

— Hizo ejercicios más fuertes o por mayor tiempo que de costumbre.

# Glucosa en sangre: alta

El exceso de glucosa en sangre se conoce como hiperglucemia, y éste es uno de los síntomas de la diabetes. Con el tiempo, el exceso de glucosa en sangre puede producir lesiones en los ojos, riñones, corazón, nervios y vasos sanguíneos.

## Causas del aumento de los niveles de glucosa en sangre

- Comer en exceso.
- Tomar muy poca insulina.
- Tomar muy pocas tabletas para la diabetes.
- Estar enfermo.
- Sentirse estresado.
- No tomar la insulina.
- No tomar las tabletas para la diabetes.
- No hacer el ejercicio acostumbrado.

El aumento de los niveles de glucosa en sangre se percibe con menos facilidad que la baja. Si presenta una muy considerable alza en los niveles de glucosa, es posible que experimente los siguiente síntomas:

## Síntomas que indican aumento de los niveles de glucosa en sangre

- Dolor de cabeza.
- Visión borrosa.
- Sed.
- Hambre.
- Molestias estomacales.
- Micciones frecuentes.
- Resecamiento y comezón en la piel.
- Aliento pastoso.

Quizá no pueda determinar una elevación exagerada de los niveles de glucosa en sangre basándose sólo en los síntomas anteriormente enumerados. La única forma segura de establecer qué sucede es practicarse un *análisis de sangre para determinar el nivel de glucosa* (véase *Glucosa en sangre: autoanálisis*). Con base en los resultados de ese análisis, usted estará en condiciones de decidir qué debe hacer.

## Cómo tratar la elevación de los niveles de glucosa en sangre

*Si sus niveles de glucosa en sangre están entre 180 y 240:*
1. Haga lo que su médico le haya recomendado. Es posible que le haya sugerido algunos de los siguientes pasos:

   - Tomar una dosis de insulina corriente (de acción breve).

- Dar un paseo o hacer algún otro ejercicio.

- Tomar una cantidad más pequeña de alimento en su próximo refrigerio.

2. Practicarse un nuevo análisis después de 1 ó 2 horas.

*Si su nivel de glucosa en sangre está por encima de los 240 mg/dl:*

Practíquese un análisis para determinar la presencia de cetonas en su orina. El aumento de los niveles de glucosa en sangre puede dar origen a un incremento de las cetonas. Las cetonas se producen cuando su organismo quema grasa en vez de glucosa, para generar energía. Si no se atiende esta situación, las cetonas pueden llegar a ocasionar serias lesiones en su organismo. Consulte con su médico si descubre cetonas en su orina.

*Si su nivel de glucosa en sangre está por encima de los 350 mg/dl:*

Practíquese un análisis para determinar la presencia de cetonas en su orina. Póngase inmediatamente en contacto con su médico.

*Si su nivel de glucosa en sangre está por encima de los 500 mg/dl:*

Practíquese un análisis para determinar la presencia de cetonas en su orina. Comuníquese de inmediato con su médico, quien posiblemente lo enviará a un hospital. Si no puede encontrar a su médico, vaya a un hospital.

# Glucosa en sangre: baja

La baja considerable de los niveles de glucosa en sangre se conoce con el nombre de hipoglucemia. Esto se puede presentar si usted se administra insulina o toma tabletas para la diabetes (diferentes del metformin, el acarbose o la troglitazona). Si esta situación no se atiende, usted incluso puede perder el conocimiento. En los casos más graves, la baja de los niveles de glucosa en sangre puede llegar a ocasionar convulsiones, llevar al estado de coma, y hasta producir la muerte.

## Causas de la baja de los niveles de glucosa en sangre

- Comer muy poco.
- Consumir muy pocos hidratos de carbono.
- Demorar mucho una de las comidas o refrigerios.
- Omitir una de las comidas o refrigerios.
- Hacer ejercicios más fuertes o más prolongados que los acostumbrados.

- Administrarse demasiada insulina o tabletas para la diabetes.
- Estar enfermo.
- Consumir bebidas alcohólicas con el estómago vacío.

## Síntomas de baja de los niveles de glucosa en sangre

Hay muchas señales que anuncian la baja de la glucosa en sangre, pero es posible que los síntomas que usted experimenta difieran de los de otras personas. Aprenda a identificar los primeros indicadores de la baja de glucosa en su sangre. Comunique sus síntomas a cualquiera que pueda ayudarlo a identificarlos, aunque éstos no aparezcan en la lista que ofrecemos a continuación. Puede sentir:

| | | |
|---|---|---|
| Afección estomacal | Ira | Sensación de |
| Ansiedad | Irritabilidad | humedad |
| Cansancio | Mareo | Somnolencia |
| Confusión | Nerviosismo | Sudor |
| Debilidad | Obstinación | Temblor |
| Entumecimiento | Palidez | Tensión |
| Hambre | Pesadez | Tristeza |
| Impaciencia | | |

También es posible que su visión se nuble y que sienta sequedad en la boca, dolor de cabeza o palpitaciones fuertes. Cuando se le presente cualquiera de esas señales de alarma, debe atacar inmediatamente la baja en los niveles de glucosa en sangre.

# Cómo tratarse las bajas en los niveles de glucosa en sangre

1. Practíquese un análisis cuantitativo de sangre, si fuera posible (véase *Glucosa en sangre: autoanálisis*).

*Si el nivel de glucosa está por debajo de los 70 mg/dl*
Siga los pasos 2 y 3. Si fuera imposible practicarse el análisis, siga los pasos 2 y 4.

2. Coma o beba algo con un contenido de hidratos de carbono de aproximadamente 15 gramos ($^1/_2$ onza). Los alimentos con 15 gramos de hidratos de carbono se enumeran en la tabla que se incluye más adelante.

3. Espere entre 15 y 20 minutos, y practíquese de nuevo el análisis.

*Si los niveles de glucosa en sangre aún están por debajo de los 70 mg/dl:*
Repita los pasos 2 y 3. Si después de repetirlos su nivel de glucosa en sangre persiste en mantenerse por debajo de los 70 mg/dl, llame a su médico o solicite a alguien que lo lleve a usted a la sala de emergencias de un hospital. Es posible que necesite ayuda para tratar este problema o que haya otro agente que esté dando origen a las señales de alarma.

*Si los niveles de glucosa en sangre están por encima de los 70 mg/dl:*
Deje de consumir los alimentos incluidos en la tabla. Es posible que continúe experimentando los síntomas de baja glucosa en sangre, incluso después que la glucosa haya llegado a niveles aceptables. Proceda al paso 4.

4. Si debe esperar más de 1 hora para su próxima comida, tome un pequeño refrigerio que contenga hidratos de carbono y proteínas. Puede ser una rebanada de pan con mantequilla de maní baja en grasa o 6 galletas con queso bajo en grasa.

## Alimentos recomendados para tratar la baja de la glucosa en sangre

$\frac{1}{2}$ taza (4 oz) de jugo de fruta

$\frac{1}{3}$ de lata (4 oz) de un refresco corriente (no dietético)

1 taza (8 oz) de leche descremada

2 cucharadas de uvas pasas (40 a 50)

3 galletas integrales

4 cucharaditas de azúcar granulado

6 galletas de sal

6 cubitos de azúcar de 1 cm

1 cucharada de miel de abeja o de almíbar

Tabletas o gel de glucosa (la dosis está impresa en el envase)

# Prepare a alguien para que le ayude a tratar la baja en los niveles de glucosa

En algunas ocasiones no le será posible tratarse por sí mismo la baja en los niveles de glucosa, tal vez porque usted no notará las señales o porque el episodio de baja de la glucosa le creará una confusión tan grande que le será imposible que se la trate usted mismo. Cualquiera que sea la razón, prepare a alguien con la debida anticipación para que lo haga.

Siempre mantenga cerca las comidas necesarias para controlar la baja de glucosa. Tenga una cajita de jugo en el cajón de su escritorio o llévela consigo al lugar de trabajo o estudio. Ponga tabletas o gel de glucosa en la chaqueta, el bolso o la guantera de su automóvil. Indique a quienes están cerca de usted los lugares donde suele tener estos alimentos.

Si toma insulina, consiga un botiquín de emergencia de glucagón. Su médico puede prescribirle uno. El glucagón es una hormona producida por el páncreas, que hace que el hígado secrete glucosa y la libere en la sangre.

El botiquín de emergencia viene con una jeringa de glucagón y las instrucciones para su uso. Manténgalo siempre consigo e indique a sus familiares, amigos y compañeros de trabajo en dónde lo tiene. Usted, su médico o una enfermera pueden enseñarles cómo utilizarlo.

*Si puede tragar:*
Asegúrese de que quienes lo rodean sepan que es imprescindible que usted coma o beba algo que contenga hidratos de carbono.

*Si no puede tragar o se desmaya:*
Asegúrese de que alguien:
1. Le inyecte glucagón en la parte anterior del muslo o en el músculo del hombro.
2. Lo coloque a usted de costado, para evitar que se ahogue si el glucagón le produce vómito. (Hay quienes sienten muchas náuseas cuando se les administra el glucagón.)

Cuando recupere el conocimiento:
1. Coma algo que contenga hidratos de carbono y que sea suave para su estómago, por ejemplo, galletas de sal. Después de esto, coma algo que contenga

proteínas, como una rodaja de pechuga de pollo o de queso bajo en grasa.

2. Practíquese un análisis cada 30 ó 60 minutos para verificar el nivel de glucosa en sangre, a fin de asegurarse de que no se está presentando una nueva baja.

*Si no puede tragar y no hay glucagón disponible, o si no puede tragar y nadie sabe cómo usar el glucagón:*
Solicite a alguien que:

1. Llame al servicio de urgencias para solicitar el envío de una ambulancia.

2. Frote azúcar de mesa contra el interior de su mejilla (dentro de la boca) hasta que se disuelva, teniendo mucho cuidado de mantener los dedos lejos de sus dientes (porque si usted sufre un estado de choque, puede morderle los dedos).

o

Haga que alguna persona abra un tubo de glaseado (cubierta) para pastel, introduzca la boquilla dentro de la boca de usted (cerca de la mejilla), presione suavemente el tubo a fin de que éste libere pequeñas cantidades del glaseado en la boca, y le haga masajes en la mejilla.

3. Mantenga el procedimiento del paso 2 hasta que llegue la ambulancia.

# Glucosa en sangre: autoanálisis

Los autoanálisis son exámenes que puede practicarse usted mismo. Un autoanálisis de glucosa le proporciona información inmediata sobre la cantidad de glucosa en su sangre. Todos los diabéticos pueden beneficiarse de estos análisis.

## ¿Por qué practicar estos autoanálisis?

Cuando se le diagnosticó la diabetes, tanto usted como los miembros del equipo médico que lo atiende trazaron un plan de atención y cuidado de su diabetes. Este plan se estableció para ayudarle a conservar los niveles de glucosa en su sangre dentro de los niveles ideales (véase *Glucosa en sangre*). Dicho plan incluye una dieta, prácticas regulares de ejercicios, insulina o tabletas para la diabetes.

Una de las mejores formas para seguir la pista a la efectividad de su plan es practicarse los análisis para determinar el nivel de glucosa en su sangre. Éstos le ayudan a determinar qué sucede con el nivel de glucosa en su sangre cuando consume ciertos alimentos, practica ciertos ejercicios o pierde peso, y a saber qué sucede cuando toma insulina o tabletas para la diabetes, está enfermo, o se halla muy estresado.

Un análisis de sangre le puede ayudar a establecer un plan para cuidar su diabetes. Estos análisis le pueden indicar cuándo tomar un ligero refrigerio, aplicarse más insulina o hacer más ejercicio. Además pueden mantenerlo alerta para enfrentar un alza o una baja en los niveles de glucosa.

## Cómo practicarlos

Usted puede verificar el nivel de glucosa en su sangre utilizando un glucómetro o unas bandas especiales cuyas indicaciones usted aprende a interpretar. Es muy importante seguir las instrucciones que traiga el producto que adquiera.

La mayoría de los autoanálisis para determinar el nivel de glucosa se practican así:

1. Lávese las manos con agua tibia y jabonosa. Séquelas.
2. Pínchese el dedo con una lanceta.
3. Deje caer una gota de sangre en una banda para el autoanálisis.
4. Espere.
5. Lea el número de glucosa que le corresponde en la ventana del glucómetro o confronte el color de la banda con la carta de colores, para determinar su nivel de glucosa en sangre.

## Cuándo practicarlos

Su médico puede ayudarle a establecer una programación

para saber cuándo debe practicarse los análisis, puesto que tener unas horas específicas para ello puede serle útil. Por ejemplo, practicarse un análisis una o dos horas después de una comida le permite determinar cuánto sube su nivel de glucosa después de ingerir cierto tipo y cantidad de alimentos. Un análisis a las dos o tres de la mañana le ayuda a saber si usted sufre de baja en la glucosa durante la noche. Hay ocho momentos para efectuar los análisis, entre los cuales usted puede escoger los que mejor se acomoden a su caso:

1. Antes del desayuno.
2. De 1 a 2 horas después del desayuno.
3. Antes del almuerzo.
4. De 1 a 2 horas después de almuerzo.
5. Antes de la cena.
6. De 1 a 2 horas después de la cena.
7. Antes de irse a la cama.
8. A las 2 ó 3 de la madrugada.

Cuantas más veces se practique los análisis, mayor conocimiento tendrá acerca de los niveles de glucosa en su sangre. Y cuanto mejor conozca las variaciones de esos niveles, mayores posibilidades tendrá de mantenerlos dentro de la escala ideal. A continuación le ofrecemos unos posibles horarios para efectuar sus autoanálisis, acerca de los cuales quizá usted desee consultar con quienes se ocupan de su caso.

*Si tiene diabetes tipo 1*
Practíquese un análisis diario antes de cada comida y a la hora de acostarse, o tres días a la semana.

*Si tiene diabetes tipo 2 y debe tratarse con insulina*
Practíquese los análisis entre dos y cuatro veces al día. No lo haga siempre a las mismas horas.

*Si tiene diabetes tipo 2 y está tomando tabletas para la diabetes*
Practíquese el análisis una o dos veces al día. Si escoge hacerlo una vez al día, hágalo antes del desayuno. Si es dos veces, el primero hágalo inmediatamente después de levantarse, y el segundo a distintas horas.

*Si tiene diabetes tipo 2 y sólo la controla con dieta y ejercicio*
Practíquese un análisis antes del desayuno, y otro una o dos horas después de alguna de las comidas.

## Cuándo someterse a análisis suplementarios

- Cuando el equipo interdisciplinario que se ocupa de su caso esté tratando de determinar la dosis óptima de insulina o de tabletas para el tipo de diabetes que usted sufre.

- Cuando cambie su plan de ejercicios o su programa alimentario.

- Cuando empieza a tomar una nueva droga que pueda afectar su nivel de glucosa.

- Cuando crea que su nivel de glucosa se ha modificado.

- Cuando esté enfermo.

- Cuando esté embarazada.

- Antes y después de hacer ejercicio. Practíquese un análisis inmediatamente después de hacer ejercicio durante más de una hora.

- Antes de conducir automóvil.
- Antes de iniciar actividades que requieran un alto grado de concentración.

## Lleve un registro

Asegúrese de anotar los resultados de sus análisis, la fecha y la hora. Hágalo incluso si tiene un contador con memoria. Su médico o quien esté encargado de guiarlo puede indicarle qué otros datos debe registrar; entre ellos, es posible que deba mantener un registro de lo siguiente:

- Qué come y a qué horas lo hace.
- Las veces que deja de consumir un refrigerio o una comida.
- Las veces que consume comidas abundantes o ligeras.
- Las veces que toma bebidas alcohólicas.
- Qué cantidad de alcohol ingiere.
- Cuál es su peso.
- Qué cantidad de insulina toma y a qué horas.
- Qué cantidad de tabletas para la diabetes toma y a qué horas.
- A qué horas hace ejercicio y por cuánto tiempo.
- Cuándo y cómo enfrenta los episodios de alza o baja de los niveles de glucosa.
- Cuándo se enferma, sufre algún accidente, está bajo un fuerte estrés, o si tiene que someterse a una operación quirúrgica.

Haga conocer sus registros a quienes están encargados de orientarlo, puesto que conjuntamente con ellos usted puede efectuar los cambios necesarios en su plan de vida diario para mantener controlada su diabetes. Tener un plan óptimo le facilitará las cosas.

# Grasas en la sangre

La grasa es parte esencial de todas las células de su cuerpo. El colesterol y los triglicéridos son unas de estas grasas que su organismo no sólo fabrica sino que también adquiere de las comidas animales que usted consume.

Su organismo utiliza el colesterol para construir las paredes de las células y para producir ciertas vitaminas y hormonas; además, emplea los triglicéridos como grasa almacenada para mantener la temperatura corporal, proteger algunos órganos y proporcionarse reservas de energía.

Tanto el colesterol como los triglicéridos se movilizan en el cuerpo a través de la sangre, y esto solamente puede hacerse por medio de otros elementos que les sirven de vehículo y que se denominan lipoproteínas (lipo quiere decir grasa). Hay tres clases de lipoproteínas:

1. Lipoproteínas de muy baja densidad (LMBD). Éstas transportan los triglicéridos, el colesterol y otras grasas. Además distribuyen los triglicéridos y otras grasas en el tejido graso, tras lo cual se transforman en lipoproteínas de baja densidad.

2. Lipoproteínas de baja densidad (LBD). Éstas transportan el colesterol a las partes del organismo que lo necesitan. En el camino es posible que el colesterol se adhiera a las paredes de los vasos sanguíneos, situación que puede causar afecciones a éstos. Lo mejor es mantener la menor cantidad de lipoproteínas de baja densidad en la sangre.

3. Lipoproteínas de alta densidad (LAD). Éstas remueven el colesterol de las paredes de los vasos sanguíneos para llevarlo al hígado, órgano que lo desintegra y envía fuera del cuerpo. Lo mejor es tener una elevada cantidad de LAD en la sangre.

Los diabéticos con frecuencia tienen altos niveles de grasa en la sangre, lo que generalmente les acarrea riesgos de enfermedad de las arterias coronarias, ataques cardiacos y derrames cerebrales. Si usted quiere reducir esos riesgos, lo primero que tiene que hacer es determinar cuáles son los niveles de grasa en su sangre.

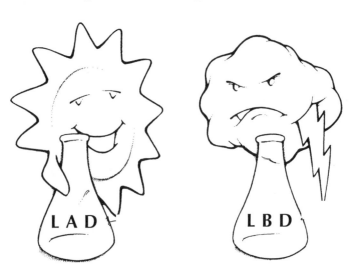

## Los niveles más saludables son:

- Nivel total de colesterol por debajo de 200 mg/dl
- Colesterol LBD por debajo de 130 mg/dl
- Colesterol LAD por encima de 35 mg/dl
- Triglicéridos por debajo de 200 mg/dl

Si sus niveles de grasa en sangre están dentro de los anteriores, ¡felicitaciones! Si no, le aconsejamos seguir las siguientes indicaciones:

## Para mejorar los niveles de grasa en la sangre:

- En primer lugar, controle su diabetes. Esto quiere decir que debe mantener el nivel de glucosa en sangre dentro de los parámetros establecidos por su médico. Cuando su diabetes esté fuera de control, ninguna de las otras medidas le va a servir.

- Si tiene exceso de peso, es necesario que pierda algunos kilos. El sobrepeso siempre dificulta el control de los niveles de glucosa en sangre y tiende a aumentar el nivel total de colesterol. Además, al perder peso usted contribuye a aumentar los niveles del colesterol LAD; es decir, del colesterol positivo.

- Para empezar, reduzca considerablemente el consumo de grasas (véase *Dieta*). Su hígado utiliza las grasas que usted come para producir LMBD. Cuanta más grasa consuma, producirá mayor cantidad de LMBD producirá su hígado, y más LMBP significa más colesterol LBD, es decir, colesterol negativo.

- Reemplace las grasas saturadas (mantequilla, manteca de cerdo) por grasas no saturadas (la mayoría de los aceites vegetales). Las grasas saturadas aumentan su LBD y los niveles totales de colesterol. Las grasas no saturadas los disminuyen.

- Consuma con menos frecuencia comidas con alto contenido de colesterol. Entre los alimentos con alto contenido de colesterol se cuentan principalmente las vísceras, como el hígado, y las yemas de huevo. Si come huevos diariamente, intente disminuirlos a tres o cuatro por semana.

- Consuma alimentos con alto contenido de fibra. Algunos tipos de fibras ayudan a remover el colesterol del organismo. Una excelente elección la representan la avena, los fríjoles, las arvejas, las frutas frescas y el arroz integral.

- Vaya de excursión o salga a caminar. Hay algunos ejercicios que aumentan los niveles del colesterol LAD (el positivo), entre los cuales están los ejercicios aeróbicos, caminar con paso rápido y sostenido, trotar, nadar y esquiar. Trate de escoger ejercicios que le produzcan placer.

- Si fuma, procure disminuir el hábito o mejor aún, déjelo. El cigarrillo produce una disminución del colesterol LAD.

**Hágase un chequeo de los niveles de grasa en la sangre al menos una vez al año, o con mayor frecuencia, si así se lo recomienda su médico.**

# *Insulina*

La insulina es una hormona que facilita la absorción de la glucosa por parte de las células, las cuales la utilizan para producir energía. El páncreas, órgano situado detrás del estómago, produce la insulina.

Si tiene diabetes tipo 1, su páncreas ya no está produciendo insulina o la produce en cantidades mínimas, y por esta razón usted necesita que le administren insulina.

Si tiene diabetes tipo 2, su páncreas continúa produciendo insulina pero en cantidades insuficientes, o su organismo tiene dificultades para utilizarla. También es posible que estos dos procesos se estén dando en forma simultánea. Por esto usted puede necesitar tomar tabletas para la diabetes o que le apliquen insulina.

## Fuentes de insulina

Hay dos fuentes diferentes de insulina: los animales y las bacterias. La insulina animal proviene del páncreas de cerdos y vacas muertos. La insulina humana se produce con bacterias en un laboratorio; no proviene de seres humanos.

En la actualidad, en los Estados Unidos se utiliza más

la insulina humana que la animal. La insulina animal tiende a producir más alergias que la humana. Sin embargo, hay muchas personas que la usan sin ningún problema.

## Clases de insulina

Hay muchas clases de insulina, y se agrupan por la forma como actúan. La acción de la insulina tiene tres etapas: comienzo, momento culminante y duración. Se denomina comienzo al tiempo que la insulina tarda para empezar a hacer efecto. Momento culminante es el espacio de tiempo durante el cual la insulina actúa con mayor intensidad. La duración es el período total de acción de la insulina.

Las etapas de comienzo, momento culminante y duración operan según las escalas que se proporcionan en la tabla que ofrecemos a continuación. Hay dos razones para la variación en estas escalas: 1) la insulina puede actuar más lenta o más rápidamente según las diferentes personas, y 2) la insulina humana actúa más rápido que la animal.

|  | Insulina de acción rápida | Insulina de acción breve | Insulina de acción intermedia | Insulina de acción prolongada |
|---|---|---|---|---|
| Comienzo | 20-40 min. | 30-120 min. | 2-6 horas | 6-14 horas |
| Momento culminante | 30-120 min. | 2-4 horas | 4-14 horas | 14-24 horas |
| Duración | 4-6 horas | 3-8 horas | 10-24 horas | 18-36 horas |
| Clases | Lispro | Corriente | NPH y Lente | Ultralente |

## Potencia de la insulina

Las insulinas se venden disueltas en líquidos, y la mezcla

viene en diferentes valores de potencia. La mayoría de las personas usan la insulina U-100. Esto quiere decir que hay 100 unidades de insulina por milímetro de fluido. Si usted mismo se inyecta la insulina, es muy importante que utilice jeringas de un tamaño apropiado para la potencia de su insulina. Por ejemplo, si se aplica insulina U-100, debe utilizar una jeringa U-100.

## Almacenamiento de la insulina

Los fabricantes de insulina aconsejan guardarla en el refrigerador. No debe ponerse en el congelador ni exponerla al sol puesto que las temperaturas extremas pueden destruir sus propiedades. Los médicos afirman que la botella de la insulina que se está usando puede permanecer en una habitación, a temperatura ambiente, hasta por un mes.

## Período de validez de la insulina

Antes de abrir la insulina, revise la fecha de expiración. Si ya ha expirado, no la use; si está a punto de expirar, revísela muy detenidamente. Si se trata de insulina corriente, ésta debe estar clara y sin ningún elemento de color flotando en ella. Si se trata de la insulina NPH, Lente o Ultralente, ésta debe ser brumosa pero limpia; es decir, sin cristales ni ninguna partícula extraña.

Si la insulina no tiene el aspecto debido, devuélvala a quien se la vendió o solicite el cambio o la devolución de su dinero.

## Terapia con insulina

Su médico le indicará qué tipo de insulina usar, en qué cantidades y a qué horas. Es muy importante seguir estas instrucciones cuidadosamente. Su plan será el regular o uno más intensivo, según el caso.

La terapia corriente con insulina implica que usted debe aplicarse una o dos inyecciones de dosis iguales, a la misma hora todos los días. Lo usual es que se aplique una por la mañana y otra por la tarde.

Es posible que la terapia corriente convenga a su caso, pero también existe la posibilidad de que ella permita que se eleven demasiado sus niveles de glucosa. Sin embargo, normalmente usted no presentará niveles de glucosa demasiado altos ni demasiado bajos.

La terapia intensiva de insulina implica que usted necesita de tres a cuatro inyecciones al día, o utilizar una bomba de insulina. Su dosis debe ser modificada según los resultados de sus análisis de glucosa en sangre, las cantidades de comida que piensa ingerir o el tipo de ejercicio que decida hacer.

La terapia intensiva está concebida para mantener los niveles de glucosa lo más cerca posible de los normales. Como usted está tratando de mantener más bajos sus niveles de glucosa en sangre, el riesgo de presentar fuertes bajas es mayor. También es posible que gane algunos kilos de más.

Consulte con su médico sobre cuál terapia le conviene más. La mejor será la que le ayude a lograr las metas que estableció, tanto para el análisis de glucosa en sangre como para el de hemoglobina glucocilada.

# Inyecciones de insulina

La insulina no puede tomarse en píldoras o tabletas, puesto que para poder empezar a actuar, éstas necesitan ser asimiladas como ocurre con la comida. La insulina debe inyectarse bajo la piel, en la parte grasa, a fin de que produzca el efecto deseado. Inyectar en la parte grasa es mucho menos doloroso que hacerlo en el músculo. Además, si se la inyecta en el músculo no obrará tan apropiadamente. Por lo general funcionará demasiado rápido.

## En dónde inyectarse

*Zonas.* Se denominan zonas los sitios del cuerpo donde la insulina puede inyectarse. Hay cuatro zonas convenientes para las inyecciones de insulina:

1. El abdomen (en cualquier lugar, excepto dentro un perímetro de 5 cm alrededor del ombligo).
2. La parte superior del brazo (lado posterior).
3. Las nalgas (en cualquier parte).
4. Los muslos (en lados anterior y exterior; no en el interior ni inmediatamente arriba de las rodillas).

Estas zonas asimilan la insulina a diferentes veloci-
dades. El abdomen es donde la insulina se asimila a mayor
velocidad, en los brazos un poco más lentamente, y en
las nalgas y los muslos mucho más lentamente.

La insulina obrará más o menos rápido según la zona
del cuerpo donde se inyecte. Esto puede afectar el control
de la glucosa en sangre.

Es preferible inyectarla siempre en la misma zona,
pues así sabrá qué tan rápidamente actúa. Algunos médicos
aconsejan inyectarla siempre en el abdomen. Otros dejan
que el paciente decida cuál zona prefiere, según la velocidad de reacción que desee.

Un posible plan es inyectarse las dosis correspondientes al desayuno y al almuerzo en los brazos y abdomen
(las zonas cuya capacidad de asimilación es más rápida)
y las dosis correspondientes a la comida y a la hora de
dormir en las nalgas y muslos (las zonas donde la asimilación es más lenta).

Quizá su mé-
dico le sugiera
otro plan. Cual-
quiera que sea, ob-
serve cuál es la
respuesta de su

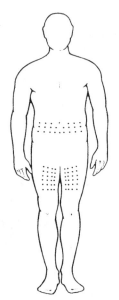
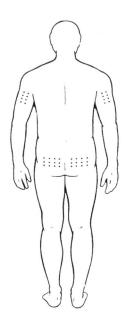

Sitios del cuerpo
para inyectarse
insulina

organismo, practicándose los autoanálisis para determinar los niveles de glucosa y llevando un registro de los resultados.

*Sitios.* Haga de cuenta que cada zona está formada por círculos situados a 2 $\frac{1}{2}$ cm de distancia uno de otro. Cada círculo es un sitio. El número de sitios que usted tiene depende del tamaño de su cuerpo; cuanto más grande sea usted, más sitios tendrá en cada zona.

Dentro de cada zona es mejor cambiar de sitio para cada inyección. Esto se denomina rotación de sitios. Para rotar los sitios utilice un círculo diferente para cada inyección hasta que todos los sitios hayan sido utilizados; después vuelva a empezar. Si recibe todas las inyecciones en el mismo sitio, puede llegar a lesionar el tejido que está bajo su piel.

## Cómo inyectarse usted mismo

1. Lávese las manos con agua y jabón. Séquelas.

2. Limpie el sitio con alcohol antiséptico (isopropílico).

3. Limpie con alcohol antiséptico la parte superior del frasco de insulina.

4. Haga girar suavemente el frasco en sus manos para mezclar la insulina.

   (No es necesario hacer esto con la insulina de acción restringida.)

5. Introduzca aire en la jeringa. Deténgase en la marca que indica la dosis de insulina que usted se va a aplicar. Inyecte el aire dentro del frasco, para prevenir un vacío.

6. Voltee el frasco boca abajo. Retire insulina en la

jeringa. Deténgase en la marca que indica la dosis que se va a aplicar. Cuando esté mezclando distintos tipos de insulina, primero introduzca la insulina de acción restringida.

7. Revise que no haya burbujas de aire dentro, pero si las hubiera, golpee levemente la jeringa un par de veces con el dedo índice. Para sacarlas, la jeringa debe estar en posición vertical.

8. Sostenga un pliegue de piel entre sus dedos.

9. Inyéctese en un ángulo de 90 grados. Si usted es delgado, es posible que necesite inyectarse en un ángulo de 45 grados para no llegar hasta el músculo.

10. Una vez retirada la aguja, presione el sitio con los dedos durante unos 5 a 8 segundos, sin frotar.

Las jeringas para insulina tienen agujas muy finas con superficie muy lisa, para que penetren fácilmente. La mayoría de la gente encuentra que si se aplican correctamente, las inyecciones de insulina no lastiman mucho.

## Para facilitar las inyecciones

- Inyéctese la insulina a la temperatura ambiente. Puede ser dolorosa si se utiliza la insulina inmediatamente después de sacarla del refrigerador.

- Asegúrese de que no haya burbujas de aire en la jeringa antes de inyectarse.

- Deje secar el alcohol que aplicó sobre su piel.

- Relaje los músculos de la zona.

- Pinche rápidamente la piel.
- Cuando retire la aguja, consérvela en la misma dirección que cuando la introdujo.
- Use agujas puntiagudas.

# Reutilización de las jeringas

Los fabricantes de jeringas desechables recomiendan que éstas sean utilizadas una sola vez, pues no garantizan que continúen estériles.

Si usted quiere reutilizarlas, consulte primero con su médico y siga los siguientes consejos:

Recubra la aguja después de cada uso, para mantenerla limpia.

No trate de limpiarla con alcohol, puesto que puede quitarle el recubrimiento que la mantiene lisa.

Esté alerta para detectar cualquier infección.

Deshágase de la jeringa cuando la superficie de la aguja pierda su finura, se doble o haya entrado en contacto con cualquier superficie diferente de su piel.

# Cómo deshacerse de las jeringas

La mejor manera de hacerlo es meterlas en un recipiente resistente a los pinchazos con una tapa que pueda cerrarse, antes de tirarlas a la basura.

Otra forma de deshacerse de ellas es meterlas en un recipiente especial donde quedan completamente seguras.

En algunas partes se exige que usted destruya las jeringas y las agujas con las que inyectó la insulina. Pero tenga cuidado si una aguja se dobla o rompe. Usted u otra persona pueden lastimarse con ella.

# Lesión del sistema nervioso

Esta lesión se denomina neuropatía y afecta los nervios situados en el exterior de su cerebro y de su médula espinal. Éstos se conocen con el nombre de nervios periféricos. Hay tres tipos de nervios periféricos: motores, sensoriales y autónomos. La neuropatía puede afectar a cualquiera de ellos.

## Nervios motores

Los nervios motores controlan sus movimientos voluntarios; es decir, lo que usted hace porque así lo desea, como sentarse, ponerse de pie y caminar. La lesión de los nervios motores puede debilitar sus músculos e impedirle realizar estos movimientos.

## Nervios sensoriales

Los nervios sensoriales son los que le proporcionan la capacidad de sentir y palpar. Ellos le indican si algo está caliente o frío; con ellos usted puede sentir la textura de las cosas, saber si algo es liso o áspero, suave o duro. Los nervios sensoriales, además, son los que le permiten sentir dolor. La lesión de estos nervios puede ocasionarle la perdida de sensibilidad.

# Nervios autónomos

Los nervios autónomos controlan las actividades involuntarias. Éstas son las que su cuerpo realiza sin que usted exprese su intencionalidad. Usted no tiene que decir a sus pulmones que aspiren y espiren, o a su corazón que palpite. No tiene que decir a su estómago que digiera la comida. La lesión de los nervios autónomos puede dificultar el trabajo de sus órganos.

Hay muchas clases de neuropatías. Dos de las más comunes son la polineuropatía simétrica distal y la neuropatía autonómica.

# Polineuropatía simétrica distal

La polineuropatía simétrica distal es una lesión del sistema nervioso que afecta los pies, las piernas y. en algunos casos, las manos. Distal significa, en este caso, que afecta las partes del cuerpo más distantes del tronco. Simétrica significa que afecta ambos lados del cuerpo. Polineuropatía significa que hay lesión en más de un nervio.

## *Síntomas de la lesión del sistema nervioso que afecta los pies, las piernas o las manos*

- Sensación de frío, entumecimiento
- Hormigueo, calor exagerado
- Comezón, cosquilleo
- Sensación de que algún bicho camina sobre su piel

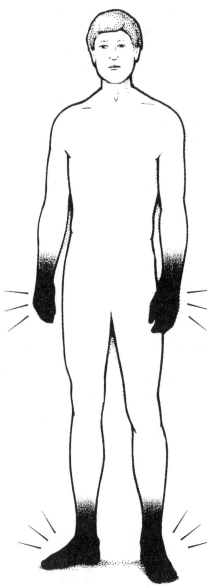

La polineuropatía simétrica distal puede afectar los pies, las piernas o las manos

- Sensación de estar caminando en una superficie extraña
- Dolor profundo
- Piel demasiado sensible
- Dolor al contacto con las sábanas o con la ropa
- Sensación de descargas eléctricas
- Punzadas

**Si experimenta alguno de estos síntomas, informe a su médico.**

Los síntomas de lesión del sistema nervioso en los pies, las piernas o las manos tienden a empeorar por la noche. Éstos, por lo general, se calman un poco si usted se levanta de la cama y camina un poco.

## Neuropatía autonómica

Los nervios autónomos controlan el corazón, los pulmones, los vasos sanguíneos, el estómago, el intestino, la vejiga y los órganos sexuales. Si la lesión afecta al corazón, afectará también al ritmo cardiaco y a la tensión arterial. Es posible que experimente dificultades para respirar y su corazón podrá latir fuerte y rápido cuando usted esté descansando. También puede darle mareo o tener la sensación de que se va a desmayar cuando se pone rápidamente de pie. Otro posible síntoma es la inflamación de los tobillos y, además, muy fácilmente sentirá cansancio.

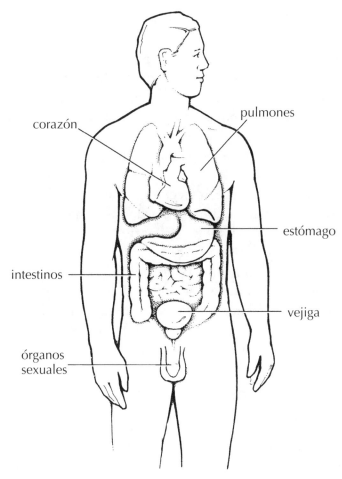

La neuropatía autonómica puede afectar el corazón, los pulmones, los vasos sanguíneos, el estómago, los intestinos, la vejiga o los órganos sexuales.

Si la lesión interesa los nervios del estómago, esto afectará la digestión, lo que lo hará sentir inflado o lleno, incluso después de una comida muy frugal. Puede sentir náuseas y aun vomitar. Si éste es el caso, podrá observar que lo que devuelve son alimentos sin digerir, incluso si los había ingerido una comida antes de que se le presentara esta situación.

La lesión que afecta los nervios de sus intestinos puede producirle diarrea o estreñimiento. La que afecta los nervios de su vejiga le impedirá sentir cuando ésta se llene de orina.

Si usted no puede sentir que su vejiga está llena, obviamente no irá al baño, lo que con frecuencia le ocasionará muchos problemas, puesto que puede gotear o mojarse. Por otra parte, si no vacía la vejiga, la orina que permanece en ésta puede ocasionarle infecciones en las vías urinarias.

Los síntomas de infección de las vías urinarias son micciones frecuentes, dolor o ardor al orinar, orina turbia o sanguinolenta, dolor en la parte baja de la espalda o en el abdomen, fiebre y escalofríos.

La lesión que afecta los órganos sexuales puede ocasionar pérdida de sensibilidad o falta de respuesta durante las relaciones sexuales, tanto en hombres como en mujeres (véase *Sexo y diabetes*). **Si presenta alguno de estos síntomas, consulte de inmediato con su médico.**

# Cómo prevenir las lesiones del sistema nervioso

*Mantenga los niveles de glucosa en sangre lo más cerca posible de los normales.* Si tiene mucha glucosa en sangre, una buena cantidad de ella va a depositarse en sus células nerviosas. Una vez allí, este excedente de glucosa forma alcoholes de azúcar que se acumulan e impiden el correcto funcionamiento de sus nervios. Después de varios años de acumular glucosa en exceso, los nervios sufren lesiones.

**Deje de fumar.** El cigarrillo afecta los pequeños vasos sanguíneos que alimentan sus nervios. Si los vasos sanguíneos están lesionados, no pueden transportar oxígeno a sus nervios. Los nervios sin oxígeno se atrofian. Si ya sufre de alguna lesión del sistema nervioso, el cigarrillo hará que ella empeore.

**Beba menos.** Beber demasiado también puede originar lesiones en los nervios. Si ya sufre de alguna lesión del sistema nervioso, el alcohol hará que ella empeore.

**Mantenga la tensión arterial por debajo de 130/85 mm Hg.** La tensión arterial alta exige demasiado esfuerzo a sus vasos sanguíneos. Cuando éstos se debiliten dejarán de nutrir correctamente sus nervios, y por consiguiente se verán afectados.

**Mantenga los niveles de colesterol por debajo de 200.** El colesterol alto puede causar daño a sus vasos sanguíneos, y si éstos están lastimados, no pueden proporcionar a sus nervios el oxígeno que necesitan, y por consiguiente se afectarán.

**Sométase a un control anual para prevenir una lesión del sistema nervioso.** Los médicos están en condiciones de practicar una variedad de análisis para determinar el estado de sus nervios. Si se identifica la lesión, usted puede recibir tratamiento. Cuanto más temprano se haga el diagnóstico de esta lesión, mejor será su respuesta al tratamiento.

# *Médico*

El médico que lo trate puede ser un endocrinólogo o un diabetólogo. Un endocrinólogo ha recibido una preparación especial y tiene las debidas calificaciones y certificados para tratar enfermedades como la diabetes. Un diabetólogo es un profesional de la medicina cuyo interés principal es tratar esta enfermedad. Puede ser un internista, un médico de familia o uno general que se interesa en atender a las personas con diabetes.

Lo más importante no es el tipo de médico encargado de su tratamiento, sino el cuidado que le preste.

Las orientaciones publicadas por las asociaciones de diabetes también pueden ser de mucha ayuda para usted, porque ellas le dicen qué esperar de su médico. En esta forma puede verificar si está recibiendo la atención adecuada. A continuación exponemos los principales temas a que se refieren las mencionadas guías.

## Primera consulta

En su primera visita al médico que se encargará del tratamiento de su diabetes, solicítele ayuda para formar un equipo interdisciplinario que cuide de su salud. Un equipo así puede colaborar con usted en la elaboración de un plan para atender su diabetes. Este plan le ayudará a determinar qué necesita saber acerca de la comida, del ejercicio, de las tabletas para la diabetes o la insulina, y de los análisis para determinar sus niveles de glucosa en sangre.

En su primera visita, ya sea a su médico o a cualquier miembro de su equipo, éste querrá saber:

- Cuándo descubrió que tenía diabetes.
- Qué resultados arrojaron los exámenes de laboratorio.
- Si algún otro miembro de su familia tiene diabetes.
- Cómo se ha tratado la enfermedad hasta el momento (si lo ha hecho).
- Qué come y a qué horas.
- Con qué frecuencia e intensidad hace ejercicio.
- Cuánto pesa.
- Si fuma.
- Si tiene tensión arterial alta.
- Si tiene colesterol alto.
- Si ha tenido cetonas en su orina.
- Si ha tenido episodios de baja de los niveles de glucosa en sangre.
- Qué infecciones ha tenido.
- Qué complicaciones ha presentado.
- A qué tratamientos se ha sometido.
- Qué medicamentos está tomando.
- Qué otras afecciones y dolencias ha tenido.
- Si tuvo dificultades en sus embarazos.

Además:

- Verificará su estatura, su peso y su tensión arterial.

- Examinará sus ojos y le preguntará si ha tenido algún problema con ellos.

- Examinará su boca y le preguntará si ha tenido problemas dentales.

- Palpará su cuello para revisar su glándula tiroides y ordenará análisis si fuera necesario.

- Auscultará su corazón con un estetoscopio.

- Palpará su abdomen para verificar el tamaño de su hígado y otros órganos.

- Examinará sus manos y dedos.

- Examinará sus pies.

- Verificará las sensaciones y pulsaciones de sus pies.

- Revisará el estado de su piel.

- Comprobará sus reflejos.

- Tomará su pulso.

- Solicitará exámenes de sangre y orina.

## Consultas de control

Su médico le dirá cuándo necesita el próximo control. Es posible que quiera examinarlo dos o tres veces al año.

Si necesita insulina o si en los controles muestra deficiencias en los niveles de glucosa, es posible que deba ir al médico cuatro o más veces al año.

Si presenta complicaciones o debe introducir alguna

modificación en su plan de cuidados, es posible que le indiquen más controles médicos.

En estos controles, es de esperar que tanto su médico como algún miembro del equipo que cuida de su salud:

- Quiera verificar sus registros de niveles de glucosa en sangre.

- Pregunte si se le han presentado episodios de alzas o bajas considerables en sus niveles de glucosa.

- Lo interrogue para verificar si hay alguna posibilidad de que se le presente alguna complicación.

- Le pregunte si ha estado enfermo entre uno y otro control.

- Verifique qué medicinas está tomando.

- Le formule preguntas para saber si hay algunos cambios en su vida.

- Quiera saber si ha tenido problemas para cumplir con su plan de cuidados.

- Lo pese y le tome la tensión arterial.

- Le observe los ojos.

- Le examine los pies.

- Le ordene análisis de glucemia y hemoglobina.

- Le ordene análisis de orina.

- Le ordene análisis para verificar el funcionamiento de los riñones.

- Le ordene análisis de sangre para verificar los niveles de grasas.

- Revise con usted su plan para ver si ha logrado los objetivos.

- Discuta con usted los posibles cambios en su plan, si están de acuerdo en que es necesario introducir algunos.

# Nutrición

Nutrición es la acción y el efecto de nutrir y nutrirse. Nutrirse es obtener los nutrimentos o sustancias nutritivas —proteínas, hidratos de carbono, grasas, vitaminas y minerales— de los alimentos y bebidas que se consumen. Lo que usted coma y beba afectará tanto los niveles de su glucosa en sangre como su peso.

## Calorías

Las calorías son una medida de la energía que usted puede obtener de la comida. Los hidratos de carbono, las proteínas y la grasa son las principales fuentes de calorías en su dieta.

Un gramo de hidratos de carbono tiene 4 calorías. Un gramo de proteína también tiene 4 calorías. Un gramo de grasa tiene 9 calorías. La grasa tiene más del doble de calorías que los hidratos de carbono y las proteínas.

Su plan alimentario le proporcionará información acerca de la cantidad de calorías que usted necesita consumir para mantener un peso saludable. Éste puede no ser el ideal, pero sí el que usted puede mantener.

# Hidratos de carbono

Los hidratos de carbono (o carbohidratos) proporcionan energía a su organismo, y éste los transforma en glucosa. Es recomendable que usted, junto con los miembros de su equipo médico, decida la cantidad exacta de hidratos de carbono que consumirá en el día. Sabiendo esto, tendrá más posibilidades de predecir cuáles serán sus niveles de glucosa en sangre.

Los hidratos de carbono pueden ser la fuente de un 50% o más de las calorías diarias que usted necesita. Lo más probable es que su dietista lo anime a consumir más hidratos de carbono complejos, como son los que se encuentran en las frutas, las verduras y los cereales enteros. Los hidratos de carbono complejos tienen más nutrimentos que los simples, como son los que se encuentran en la miel y las melazas.

# Colesterol

Su hígado produce colesterol y usted recibe colesterol de los alimentos de origen animal que ingiere. Es recomendable que consuma menos de 300 miligramos de colesterol al día. Si tiene niveles altos de colesterol LBD, consuma menos de 200 miligramos al día.

# Grasa

Hay dos clases principales de grasas en los alimentos: saturadas e insaturadas. Las saturadas se encuentran en los alimentos de origen animal y en algunos de origen vegetal. Éstas tienen consistencia sólida si se conservan a la temperatura ambiente bajo techo. Las grasas insaturadas se encuentran en los alimentos vegetales y tienen consistencia líquida a la temperatura ambiente bajo techo. Las grasas saturadas elevan sus niveles de colesterol. La mayoría de las personas deben consumir menos grasas saturadas.

*Si los niveles de grasa en su sangre son normales y usted no tiene exceso de peso*
Obtenga de las grasas el 30% de las calorías.
Obtenga de las grasas saturadas menos del 10% de las calorías.

*Si usted tiene altos niveles de colesterol LBD*
Obtenga de las grasas el 30% o menos de las calorías.
Obtenga de las grasas saturadas menos del 7% de las calorías.

*Si usted tiene exceso de peso*
Obtenga de las grasas de 20 a 25% de las calorías.

## Fibra

La fibra es la parte de las plantas que el organismo humano no puede digerir. La fibra ayuda a sacar del cuerpo el exceso de colesterol y contribuye a evitar que el colon y los intestinos contraigan enfermedades. Es recomendable consumir entre 20 y 35 gramos de fibra al día. Esta recomendación es la misma para las personas que no tienen diabetes.

Se puede obtener fibra de una gran variedad de alimentos: frutas, verduras, legumbres (fríjoles, arvejas y lentejas) y cereales enteros.

## Proteína

El organismo utiliza proteínas para producir glóbulos

sanguíneos, tejidos corporales y hormonas. Es recomendable que las proteínas le proporcionen de 10 a 20 calorías de las que necesita diariamente. Si usted tiene una enfermedad renal, es conveniente que las proteínas sean la fuente del 10% de las calorías que necesita cada día.

Las proteínas que usted consuma pueden provenir de alimentos tanto animales como vegetales. Las comidas con alto contenido proteínico son principalmente el pescado, el pollo, la carne, la leche, las legumbres, los cereales enteros, las nueces y las semillas.

## Sodio

El sodio es sal. Usted puede ser más o menos sensible al sodio que otras personas. Una regla general es no consumir más de 1 miligramo de sodio por cada caloría que consuma al día. Por ejemplo, si está siguiendo una dieta de 2.000 calorías, no debería consumir más de 2.000 miligramos de sodio al día. Se recomienda que

*Si su tensión arterial es normal*
No consuma más de 2.400 a 3.000 miligramos de sodio al día.

*Si su tensión arterial es moderadamente alta*
Consuma 2.400 miligramos o menos de sodio al día.

*Si su tensión arterial es alta y usted tiene problemas renales*
Consuma 2.000 miligramos o menos de sodio al día.

# Plan alimentario

La mayoría de los diabéticos tienen un plan alimentario que les indica qué, cuánto y a qué horas comer. Este programa se establece con la ayuda de un dietista para que responda tanto a las necesidades como a los gustos del paciente. Los parámetros sobre los cuales ha de basarse dicho plan son los siguientes:

- Lo que al paciente le guste comer y beber.
- A qué horas le gusta comer y beber.
- Cuántas calorías necesita.
- Sus ocupaciones diarias.
- Su salud.
- Cuándo hace ejercicio.
- Qué ejercicios hace.
- Sus costumbres familiares y culturales.

Un plan alimentario típico corresponde a desayuno, almuerzo, cena y un refrigerio antes de irse a la cama. También es posible que incluya refrigerios para la media mañana y para la tarde. El plan de comidas puede contemplar menús especiales para los días cuando no se encuentre bien, para la época del embarazo y para los viajes.

Todos los planes alimentarios para los diabéticos son sanos. Esto quiere decir que incluyen alimentos variados: cereales, frutas, verduras, legumbres, productos lácteos, carnes y grasas.

Una condición indispensable del plan alimentario para diabéticos es que la persona sea disciplinada, especialmente si se está aplicando insulina. Por tanto, trate de consumir la misma cantidad de calorías establecidas en el plan, las mismas cantidades y las mismas clases de alimentos, a la misma hora todos los días.

Hacer esto es una buena ayuda para mantener los niveles de glucosa en sangre. Si omite alguna comida o refrigerio, se arriesga a presentar oscilaciones considerables en sus niveles de glucosa en sangre.

Un plan alimentario puede ayudarlo a alcanzar también otros objetivos en relación con su salud. Entre éstos pueden estar:

- Mejores niveles de grasa en sangre.
- Tensión arterial normal.
- Peso saludable.

Tres consejos en relación con la comida, que pueden ser útiles para los diabéticos: disponer de listas de opciones, realizar el recuento de los hidratos de carbono y consultar la pirámide alimentaria.

## Listas de opciones

Es importante tener listas en las cuales los alimentos estén agrupados por similitud de valores nutritivos, para poder disponer de una gama de alimentos que le permitan trazar un plan alimentario variado. Los alimentos deben estar agrupados en listas donde una porción de cada uno de ellos tenga aproximadamente la misma cantidad de hidratos de carbono, proteínas, grasas y calorías. Cualquier alimento puede ser "intercambiado" o consumido en lugar de otro que aparezca en la misma lista.

Su dietista puede ayudarle a establecer un plan alimentario utilizando estas listas. El plan le indicará el número de alimentos que usted puede consumir en cada comida o refrigerio. Luego usted podrá escoger los alimentos que se ajusten a ese plan.

### Grupo de hidratos de carbono
1. Almidones
2. Frutas
3. Lácteos
4. Otros hidratos de carbono
5. Verduras

### Carne y sustitutos de la carne
6. Muy magros
7. Magros
8. Con moderado contenido de grasa
9. Con alto contenido de grasa

### Grupo de grasas
10. Grasas monoinsaturadas
11. Grasas poliinsaturadas
12. Grasas saturadas

### Otras listas
13. Alimentos libres
14. Alimentos combinados
15. Comidas rápidas

La lista de otros hidratos de carbono incluye los alimentos horneados, los postres congelados, las mermeladas, las gelatinas, los jarabes, las papas fritas y las tortillas
fritas. Aunque estos alimentos contienen azúcares y grasas
adicionadas, usted puede aprender a sustituirlos por
alimentos incluidos en las listas de almidones, frutas o
lácteos.

Tenga en cuenta que los alimentos incluidos en la lista
de *Otros hidratos de carbono* no son tan nutritivos como
los que están en las demás listas.

Los incluidos en la lista de *Alimentos libres* tienen
menos de 20 calorías y menos de 5 gramos de hidratos
de carbono por porción. Entre ellos se cuentan alimentos
no grasos y bajos en grasas, sin azúcar o bajos en azúcar,
bebidas no calóricas (café, té), aderezos (salsa de tomate,
mostaza) y condimentos (ajo, hierbas).

Los alimentos libres no afectan sus niveles de glucosa,
si usted sigue las instrucciones de la *Lista de opciones*.

## Cómo determinar la cantidad de hidratos de carbono

Una comida o refrigerio saludable por lo general es una
mezcla de hidratos de carbono, proteínas y grasas. Sin
embargo, su organismo transforma los hidratos de carbono
en glucosa más rápidamente que con las proteínas y las
grasas.

En el recuento de hidratos de carbono sólo han de
tenerse en cuenta los alimentos compuestos principalmente por ellos. Éstos son los almidones (panes, cereales, pasta),
las frutas y los jugos de frutas, la leche, el yogur, los helados
y los azúcares (miel, jarabes, almíbares). No incluya las
verduras, las carnes o las grasas; estos alimentos tienen
un contenido muy bajo de hidratos de carbono.

Es posible determinar cuántos hidratos de carbono tiene un alimento consultando la *Lista de opciones*, los libros que proporcionan información sobre el contenido de hidratos de carbono, y la información nutricional escrita en las etiquetas de los alimentos (véase *Alimentación*). También puede consultar con su dietista.

Saber cuántos hidratos de carbono contiene un alimento le puede ayudar a controlar sus niveles de glucosa. Si usted tiene diabetes tipo 1 y se aplica insulina corriente, lo que puede hacer es aprender a ajustar sus dosis de insulina para equilibrarlas con la cantidad de hidratos de carbono que consume. Si tiene diabetes tipo 2, puede aprender a consumir la misma cantidad de hidratos de carbono diariamente.

## Pirámide alimentaria

Durante años, la mejor guía para comer saludablemente fue la denominada Los Cuatro Grupos de Alimentos Básicos (*The Basic Four Food Groups*), pero en 1992 el Departamento de Agricultura de los Estados Unidos cambió estos cuatro grupos por otros seis, que clasificó en secciones en forma de pirámide, la cual se denomina Pirámide Guía para la Alimentación.

En 1995, la Asociación Americana de Dietistas y la Asociación Americana de Diabetes adaptaron la Pirámide Guía para la Alimentación para establecer una pirámide para diabéticos. Ésta se denomina Pirámide para la Alimentación de Diabéticos.

La pirámide le proporciona información sobre las porciones diarias de los primeros cinco grupos, que debe consumir. Su dietista puede enseñarle a subdividir estas porciones para acomodarse al número de comidas y refrigerios que acostumbra tomar al día.

Pirámide para la Alimentación de Diabéticos

# Cómo utilizar la pirámide para la alimentación de diabéticos

Al utilizar la pirámide, debe tener en cuenta lo siguiente:

*Variedad.* Coma una amplia variedad de alimentos pertenecientes a todos los grupos, para así obtener los nutrimentos que necesita. Por ejemplo, consuma diversas clases de verduras.

*Equilibrio.* Consuma cantidades más grandes y con mayor frecuencia de alimentos que ocupan mayor espacio en la pirámide. Éstos son: 1) cereales, fríjoles y hortalizas amiláceas; 2) verduras; y 3) frutas.

Consuma cantidades más pequeñas y con menor frecuencia de los alimentos que ocupan menos espacio en la pirámide. Los tres grupos que ocupan menos espacio son: 1) leche; 2) carne y otros; y 3) grasas, dulces y bebidas alcohólicas.

*Moderación.* Consuma cantidades adecuadas de alimentos. El logro de sus objetivos, en lo que a su salud respecta, está supeditado a las cantidades que coma, a la adecuación de la alimentación para llenar sus necesidades calóricas y nutricionales, al grado de actividad física y a la insulina o tabletas para la diabetes que usted se administra. Su dietista puede ayudarle a determinar cuánto debe comer.

## Cuándo consultar con su dietista

Cuando está aprendiendo a aplicar su plan alimentario, usted debe visitar a su dietista con cierta regularidad. Se sugiere que luego revise su plan alimentario con su dietista, aproximadamente cada seis meses.

# Refrigerios

La mayoría de los planes alimentarios para quienes toman tabletas para la diabetes o se aplican insulina, incluyen los refrigerios. Éstos ayudan a evitar bajas fuertes en sus niveles de glucosa en sangre.

Su dietista le podrá proporcionar ideas sobre qué alimentos son apropiados para los refrigerios y las horas cuando debe tomarlos. Un refrigerio saludable consiste en un alimento que contenga aproximadamente 15 gramos de hidratos de carbono.

## Refrigerios saludables

| | |
|---|---|
| 6 galletas con queso bajo en grasa | 1 tajada de pan con mantequilla de maní baja en grasa |
| 3 unidades de fruta seca | |
| 2 galletas de higo | |
| 2 galletas de avena y pasas | 1 panecillo inglés (*muffin*) |
| 2 palitroques (colines, grisines) | 1 taza de yogur bajo en grasa o sin grasa |
| 2 galletas de arroz | |
| 1 barra de granola | 1 taza de sopa |
| 1 trozo de fruta | $\frac{1}{2}$ taza de cereal |
| 1 panecillo dulce | $\frac{1}{2}$ taza de jugo de fruta |
| 1 tortilla | $\frac{1}{2}$ rosquilla |

| | |
|---|---|
| 1 rebanada de pan con 1 tajada de pechuga de pavo $^1/_3$ de taza de habas tostadas | $^1/_2$ pan árabe (pita) $^1/_2$ taza de pasta |

En ocasiones un refrigerio extra se hará necesario, y en otras usted necesitará ser especialmente cuidadoso de no olvidar sus refrigerios.

## Ejercicio

Es posible que necesite comer algún refrigerio adicional cuando está haciendo ejercicio o inmediatamente después de terminar. Practíquese un análisis de glucosa 30 minutos antes de empezar y otro inmediatamente antes de iniciar el ejercicio. Si los análisis muestran que sus niveles de glucosa en sangre están bajando, tal vez necesite ingerir un refrigerio adicional antes de empezar.

Si va a hacer ejercicio durante más de 1 hora, usted necesita comer un refrigerio por cada 30 minutos de ejercicio. Después de hacer ejercicio, los niveles de glucosa en sangre pueden descender constantemente durante 10 a 24 horas. En todo ese tiempo practíquese análisis de glucosa en sangre. Si éstos indican que su glucosa está bajando demasiado, quizá necesite un refrigerio adicional después del ejercicio.

## Un nuevo bebé

Cuando usted tiene un recién nacido a quien cuidar, es fácil perder el ritmo de sus refrigerios y comidas. Es posible que se encuentre tan ocupada que incluso se olvide de comer. O puede sentirse tan cansada que se quede dormida y olvide tomar su refrigerio o alguna de las comidas principales. Es muy importante que sea especialmente cuidadosa en evitar bajas de glucosa en sangre, sobre todo si tiene diabetes tipo 1. Asegúrese de comer a tiempo sus refrigerios y comidas. Y... nunca haga la siesta ni se vaya a dormir con el estómago vacío.

## Amamantamiento

Si usted está amamantando, sea cuidadosa, pues esto consume muchas calorías y sustancias nutritivas. Tomar los refrigerios programados devuelve a su organismo las sustancias nutritivas y las calorías que necesita, con lo cual le ayuda a prevenir posibles bajas de la glucosa en sangre.

Durante el día, tome su refrigerio (o comida) antes de amamantar a su bebé o mientras lo esté amamantando. Esto le ayuda a asegurarse de que tomará el refrigerio o la comida con anticipación. Si le da el pecho a su bebé en las horas de la noche, también tome algún refrigerio. Si no lo hace, corre el riesgo de presentar bajas de glucosa en sangre a la mañana siguiente.

# *Seguro*

Atender su diabetes puede ser muy costoso. Los planes de los seguros para la salud varían en lo referente a las partes del tratamiento de su diabetes que ellos le ayudarán a cubrir. Antes de inscribirse en algún programa de seguro para la salud, averigüe:

- Si cubre las citas de control con el médico que atiende su caso.

- Qué proporción de los horarios del médico cubre el seguro.

- Qué proporción cubre en caso de una eventual hospitalización.

- Si hay algún limite para lo que usted paga cada año.

- Si hay algún límite para lo que la compañía de seguros paga cada año.

- Si la cobertura empieza inmediatamente o si debe esperar debido a que tiene diabetes (enfermedad preexistente).

- Si el seguro cubre los implementos para practicarse

los autoanálisis, la insulina, las jeringas, la bomba de insulina y otros elementos necesarios para el cuidado de la diabetes.

- Si el seguro cubre alguna parte de los costos de los dietistas, educadores para el cuidado de la diabetes, profesionales de la salud mental y otros especialistas, medicamentos recetados y cuidados en el hogar.

Si usted es trabajador, es posible que su patrono o el Estado le ofrezca un plan de salud de grupo.

# Sexo y diabetes

La diabetes y sus complicaciones pueden afectar la vida sexual. Los problemas sexuales pueden tener causas tanto físicas como psicológicas. Los médicos tienden a buscar primero las causas físicas de estos problemas.

## Causas físicas

*Demasiado cansancio.* Si sus niveles de glucosa en sangre son excesivamente altos, es posible que sienta demasiado cansancio para hacer el amor. Si logra mantener su diabetes bajo control, la situación puede mejorar.

*Infección de las vías urinarias.* Cuando los niveles de glucosa en sangre se hallan muy altos, el riesgo de que se presenten infecciones en las vías urinarias es mucho mayor. Entre los síntomas de esta infección se cuentan:

- Necesidad de orinar muy frecuentemente.
- Dolor o ardor al orinar.

- Orina turbia o sanguinolenta.
- Dolor en la parte baja de la espalda o en el abdomen.
- Fiebre.
- Escalofríos.

Las relaciones sexuales pueden ser dolorosas o incómodas si usted tiene una infección en las vías urinarias. Estas infecciones pueden ser tratadas con antibióticos.

*Pérdida de sensibilidad.* Si usted tiene alguna lesión del sistema nervioso, es posible que pierda sensibilidad en sus órganos sexuales, lo cual puede dificultar el orgasmo en la mujer y la erección del pene en el hombre. En este caso puede ser útil una estimulación más intensa y directa de los órganos sexuales preliminar a la cópula.

*Falta de control de la vejiga.* Si usted tiene una lesión nerviosa en la vejiga, será incapaz de sentir si está llena. Por lo tanto, no irá al baño cuando lo necesite, lo que con frecuencia le resultará muy molesto, pues puede gotear e incluso mojarse. Esta situación puede presentarse durante las relaciones sexuales, incluido el orgasmo. Para evitar que esto suceda, procure vaciar completamente la vejiga antes y después del acto sexual.

*Miembros o articulaciones lesionadas.* Si usted tiene lesionado el nervio de alguno de sus brazos o piernas, le falta alguno de ellos, o tiene alguna enfermedad de las articulaciones, el acto sexual puede ser incómodo o molesto. Ensaye diferentes posiciones; algunas pueden ser mejores que otras. Es posible que apoyarse en varias almohadas lo ayude. Un fisioterapeuta puede sugerirle algunas formas de realizar más cómodamente el acto sexual.

# Sólo para mujeres

*Infección vaginal (vaginitis).* Las diabéticas tienden a contraer más infecciones vaginales que las no diabéticas. La mayoría de estas infecciones son producidas por el hongo *Candida albicans*. Los altos niveles de glucosa en sangre pueden estimular la multiplicación de este hongo.

Los síntomas de la vaginitis son un flujo blanquecino considerable, comezón, ardor, enrojecimiento e inflamación. La vaginitis puede dar origen a irritación, incomodidad o dolor durante o después del acto sexual. Las cremas u otros medicamentos para combatir los hongos pueden aliviar la mayoría de las infecciones vaginales. Mantener controlados los niveles de glucosa en sangre puede ayudar a prevenirlas.

*Sequedad vaginal.* La sequedad vaginal puede ser ocasionada por una lesión nerviosa de las células que recubren la vagina. Esta sequedad puede producir irritación, molestias o dolor durante o después del acto sexual.

Hay lubricantes que se compran sin fórmula médica y que pueden ayudarle. Si esto no resulta, su médico puede prescribirle una crema vaginal con estrógeno, que humecta y ayuda a la reconstrucción de las células lesionadas. Mantener controlados los niveles de glucosa en sangre puede demorar o hacer más lenta la lesión en los nervios.

*Estrechez vaginal (vaginismo).* El dolor o molestias que usted siente debido a las infecciones vaginales o a la sequedad de la vagina puede dar origen al vaginismo. El vaginismo es un espasmo involuntario de los músculos que rodean la entrada de la vagina y puede hacer que el acto sexual sea muy difícil o doloroso.

Aprender a relajar estos músculos haciendo los ejercicios de Kegel puede ayudar. En estos ejercicios usted aprieta y suelta los mismos músculos que utilizaría para retener la orina. Procure tensar y relajar estos músculos antes o durante el acto sexual. También puede ensayar posiciones en las cuales usted pueda ejercer un mayor control sobre la penetración.

Si siente dolor o molestia durante o después del acto sexual, consulte con su médico. El dolor y la molestia pueden impedir el orgasmo y hacer que usted pierda interés en el sexo.

## Sólo para hombres

*Impotencia.* Cerca de la mitad de los hombres con diabetes se vuelven impotentes. La impotencia significa que el pene no alcanza la erección suficiente para lograr la penetración. Hay muchas causas de impotencia. Las más comunes en los hombres con diabetes son:

- Lesión de los nervios del pene.
- Lesión de los vasos sanguíneos del pene.
- Insuficiente control de los niveles de glucosa en sangre.

La impotencia física por lo general se desarrolla lenta pero progresivamente. Los síntomas que presenta son un pene menos rígido y pocas erecciones. Y por último, no se produce ninguna erección. La mejor forma de evitar la impotencia es mantener controlados sus niveles de glucosa en sangre. Si llega a volverse impotente, consulte con su médico. Hay muchas opciones de tratamiento para la impotencia física.

# Causas psicológicas

Si ni usted ni su médico han logrado establecer cuál es
la causa física de su problema sexual, es posible que la
causa sea psicológica. Las causas psicológicas de los
problemas sexuales son las mismas, tenga o no diabetes.
Un problema sexual puede ser psicológico si:

- No se atreve a hablar con su cónyuge sobre sexo.

- Hay discrepancias y discusiones permanentes entre
  ustedes dos acerca del dinero, los hijos y el trabajo.

- Tiene estrés, preocupación o ansiedad.

- Le teme a la impotencia.

- Le teme al embarazo.

- Siente tristeza, depresión o ira.

- Su educación sexual no fue la apropiada.

- Su educación fue muy represiva.

- Ha sido víctima de abuso sexual.

Si usted cree que una causa psicológica forma parte
de su problema sexual, busque la ayuda de un profesional
de la salud mental con especialización en esta materia.

# Tensión arterial alta

La tensión arterial es la presión ejercida por la sangre en su recorrido a través de los vasos sanguíneos. Cuanto más alta sea esta tensión, mayor fuerza ejercerá sobre los vasos sanguíneos, y esto puede llegar a debilitarlos y lesionarlos.

Los vasos sanguíneos nutren los órganos y los nervios. Cuando los vasos sanguíneos son debilitados y lesionados por una tensión arterial muy alta, dejan de nutrir en forma adecuada los órganos y los nervios, lo que también ocasiona lesiones a estos últimos.

Los diabéticos corren mayores riesgos de llegar a tener la tensión arterial alta, lo cual aumenta la posibilidad de que sufran ataques cardiacos o accidentes cerebrovasculares (veánse *Ataque cardiaco* y *Accidente cerebrovascular*). Si tiene una nefropatía (enfermedad de los riñones) o una retinopatía (enfermedad de los ojos), la tensión arterial alta puede tender a empeorarlas.

## Síntomas de tensión arterial alta

La tensión arterial alta no suele anunciarse a través de

síntomas fácilmente identificables. La única forma de saber si tiene la tensión alta, es hacérsela examinar. Es posible que cada vez que usted visite a su médico le examinen la tensión arterial.

## Revisión de su tensión arterial

La tensión arterial puede examinarse con un aparato denominado esfigmomanómetro (tensiómetro). Consta de un brazalete acolchado que se coloca alrededor de la parte alta del brazo, que se infla hasta quedar lo suficientemente apretado como para detener el flujo de la sangre. A medida que se va desinflando, la fuerza de la sangre es percibida a través de un estetoscopio.

La presión de la sangre se registra utilizando dos numeraciones diferentes. El primer número indica la presión sistólica, o sea la fuerza de la sangre cuando el corazón se contrae. El segundo indica la presión diastólica, o sea la fuerza de la sangre cuando el corazón se dilata.

El registro de 120 sobre 80 indica una presión sistólica de 120 y una presión diastólica de 80. Se escribe como 120/80 mmHg. Esto quiere decir la medida expresada en milímetros(mm) de mercurio (Hg).

|  | Registro de la tensión arterial (en mmHg) |
| --- | --- |
| Tensión arterial normal | Menos de 130/85 |
| Tensión arterial normal alta | 130/85 a 139/89 |
| Hipertensión leve | 140/90 a 159/99 |
| Hipertensión moderada | 160/100 a 179/109 |
| Hipertensión grave | 180/110 a 209/119 |
| Hipertensión muy grave | Por encima de 210/120 |

La tensión arterial alta se denomina *hipertensión*. Si usted verifica que su tensión arterial es alta, proceda conjuntamente con su médico a establecer un plan para controlarla. Lo primero que el médico hará será tratar de encontrar la causa de la elevación.

## Causas de la tensión arterial alta

En algunos casos hay causas específicas, como son las afecciones renales, los trastornos hormonales, el embarazo o el uso de píldoras anticonceptivas. Cuando la tensión arterial alta está relacionada con una causa específica, se conoce como hipertensión secundaria. Si éste es su caso, lo primero que su médico hará será tratar de eliminar la causa.

En la mayoría de los casos no se encuentra una causa para la tensión arterial alta, y ésta se denomina hipertensión esencial. Si éste es su caso, hay algunas cosas que puede hacer para bajarla, sin necesidad de recurrir a los fármacos.

## Para bajar la tensión arterial

*Elimine el exceso de peso.* Perder peso, aunque sea muy poco, puede ser suficiente para volver su tensión arterial a los niveles normales. La única forma de perder peso y de no volver a ganarlo es seguir una dieta y un programa de ejercicios. Su médico y su dietista pueden ayudarlo a poner en práctica un plan permanente que se acomode a sus necesidades.

*Deje de fumar.* El cigarrillo también es causa de tensión arterial alta, puesto que lesiona los vasos sanguíneos. Dejar de fumar puede hacer más para disminuir los riesgos de una muerte relacionada con la hipertensión que tomar medicinas para el control de esta última.

*Consuma menos bebidas alcohólicas.* Beber más de dos onzas de alcohol al día puede dar origen a problemas de tensión arterial alta. Es posible que su médico le aconseje no beber más de una onza de alcohol al día. Hay cerca de una onza de alcohol en una bebida mezclada, un vaso de vino o una lata de cerveza.

*Consuma menos sal.* La eliminación del salero de su mesa y de las comidas con mucha sal pueden ser medidas suficientes para bajar su tensión arterial. Si su médico quiere que usted procure seguir una dieta baja en sodio, busque ayuda de un dietista reconocido.

*Reduzca el estrés.* El estrés puede agravar la tensión arterial alta al contribuir al estrechamiento de los vasos sanguíneos, con lo cual se le exige un esfuerzo adicional al corazón. Para algunas ideas sobre como reducir el estrés, véase *Estrés*.

Si le es imposible bajar su tensión arterial después de haber introducido estos cambios en su vida, lo más probable es que su médico le formule medicamentos.

Los medicamentos para controlar la tensión arterial que se formulan con mayor frecuencia a los diabéticos son los inhibidores ECA (enzima convertidora de la angiotensina), los bloqueadores del receptor alfa 1, los antagonistas del calcio y los diuréticos tiazídicos en dosis pequeñas.

Dichos medicamentos no elevan los niveles de glucosa en sangre, pero sí producen otros efectos secundarios. Consulte con el médico o con el farmacéutico cuáles pueden ser.

# Tolerancia alterada de la glucosa

Una persona con tolerancia alterada de la glucosa tiene un nivel de glucosa en sangre superior al normal, pero más bajo que el de un diabético, y realmente tal anormalidad no constituye un tipo especial de diabetes. Pero si usted tiene tolerancia alterada de la glucosa, es mayor su riesgo de llegar a padecer diabetes tipo 2. Los médicos tienden a denominarla con muchos otros nombres. Es posible que usted escuche cualquiera de los siguientes:

Un toque de azúcar
Diabetes fronteriza
Diabetes química
Diabetes latente
Diabetes potencial
Prediabetes
Diabetes subclínica

El nombre correcto es tolerancia alterada de la glucosa, y la única forma de saber si en realidad usted la tiene es sometiéndose a los siguientes análisis, que son practicados por su médico.

## Análisis de glucosa en ayunas

En este análisis la medida de sus niveles de glucosa se establece tomando una muestra de sangre después de un período entre 8 y 12 horas sin comer nada. Ésta es la razón por la cual este examen generalmente se practica a primera hora de la mañana.

Las personas no diabéticas por lo general presentan un nivel de glucosa en ayunas menor de 110 mg/dl. Las personas cuyos niveles de glucosa en ayunas estén por encima de los 126 mg/dl en dos exámenes practicados en días diferentes, tienen diabetes.

Las personas cuyo nivel de glucosa en ayunas es menor de 126 mg/dl pero mayor de 110 mg/dl, tienen tolerancia alterada de la glucosa.

## Curva de glucemia

En este examen se miden sus niveles de glucosa tomando cinco muestras en 3 horas. En primer lugar se toma una medida en ayunas, sin haber comido nada durante un período de 8 a 12 horas (lo mismo que en el análisis en ayunas de la glucosa en sangre).

Después de esta primera muestra le dan a beber un líquido que contiene 75 gramos de glucosa (100 gramos para las mujeres embarazadas). Luego se le toman muestras de sangre para practicar análisis a los 30 minutos de la toma, luego 1 hora más tarde, después 2 horas más tarde y por último tres horas más tarde.

Una persona no diabética presenta un alza inicial de los niveles de glucosa en sangre seguida de una baja muy fuerte y rápida. Los niveles permanecen por debajo de los 200 mg/dl en todas las muestras que se analizan.

Una persona con diabetes presenta un alza inicial superior a la normal, y este nivel permanece por más tiempo. Los niveles de glucosa en sangre se han elevado por encima de los 200 mg/dl dos horas después y en alguna de las otras tomas.

En una persona con tolerancia alterada de la glucosa, los niveles de glucosa en sangre están entre los 140 y los 200 mg/dl dos horas después de tomar el líquido con los 75 gramos de glucosa y están por encima de los 200 mg/dl en una de las otras muestras.

## Análisis posprandial de glucosa

En el análisis posprandial (después de comer), el nivel de glucosa se mide en una hora determinada después de alguna de las comidas, por lo general 2 horas después.

Las personas no diabéticas presentan niveles de glucosa posprandial menores de 200 mg/dl. Las personas que muestran niveles de glucosa superiores a los 200 mg/dl tienen diabetes.

Quienes presentan niveles de glucosa posprandial entre los 140 y los 200 mg/dl es posible que tengan tolerancia alterada de la glucosa.

## Usted tiene tolerancia alterada de la glucosa si

- El análisis de glucosa en ayunas muestra un nivel de glucosa menor de 126 mg/dl pero mayor de 110 mg/dl.
- Su curva de glucemia muestra un nivel de glucosa

entre los 140 y los 200 mg/dl dos horas después de beber la glucosa.

- Al menos una de las otras tomas de su curva de glucemia muestra un nivel de glucosa superior a los 200 mg/dl.
- Su examen posprandial muestra un nivel de glucosa entre los 140 y los 200 mg/dl.

La tolerancia alterada de la glucosa necesita tratamiento, incluso si usted nunca llega a contraer diabetes. Para mayor seguridad, sométase a control médico por lo menos una vez al año para que le practiquen los análisis de los niveles de glucosa.

Mientras tanto, hay algunas cosas que usted puede hacer para recuperar los niveles normales de glucosa:

- Pierda peso (si tiene exceso).
- Coma alimentos sanos.
- Haga ejercicio.

# Trastornos de la alimentación

Dos trastornos de la alimentación se presentan frecuentemente en personas con diabetes: la anorexia y la bulimia. No hay aún acuerdo entre los investigadores sobre por qué ocurre esto, pero tanto la diabetes como los trastornos de la alimentación tienen elementos comunes: la comida, la dieta y el peso.

## Anorexia

Las personas con anorexia padecen de un intenso temor a engordar. A fin de permanecer delgadas, incluso pueden llegar a matarse de hambre. Tienen extraños hábitos alimentarios, que a veces mantienen en secreto. En ocasiones tienden a cortar la comida en trocitos. Pueden negarse a comer con otras personas. A fin de perder peso, pueden tender a exagerar la intensidad de los ejercicios. Tienen propensión a considerarse gordas aun cuando estén en extremo delgadas.

## Bulimia

Las personas con bulimia se preocupan demasiado por la

forma de su cuerpo y por su peso. Se hartarán de comida y después se purgarán dos o más veces por semana para no aumentar de peso. Característica de la bulimia es que quienes la padecen comen en exceso (a menudo alimentos con un altísimo contenido calórico) en una sola ingesta.

Durante esta comilona, los bulímicos son presa de un enorme temor, pues pierden absolutamente el control sobre sí mismos. Después de la comilona experimentan profunda depresión y pérdida de la autoestima. Se autocastigan provocándose vómito o tomando laxantes que les produzcan diarrea. También pueden tratar de expiar su culpa siguiendo dietas o ayunos muy estrictos, o haciendo ejercicios demasiado fuertes. Los bulímicos pueden tener peso excesivo, bajo o normal.

## Trastornos de la alimentación y control de la diabetes

La mayoría de los diabéticos que sufren de algún trastorno de la alimentación tiende a ejercer un control muy deficiente de su enfermedad. Son muy pocos los que logran mantenerla a raya. Los diabéticos bulímicos tienden a usar más insulina después de una comilona. Los anoréxicos tienden a bajar sus dosis de insulina para equilibrarla con la poca comida que ingieren. Hay otros que se esfuerzan muchísimo por mantener controlado su trastorno, a fin de no afectar el control de su diabetes.

## Trastornos de la alimentación y control de peso

Los trastornos de la alimentación dificultan mucho el control de peso. Los diabéticos que sufren alguno de estos trastornos tienden a reducir o a omitir sus dosis de insulina, a fin de perder peso. Sin embargo, en muchas ocasiones, en vez de este resultado más bien tienden a tener exceso de peso. También se encuentran quienes se mantienen dentro de los niveles normales y quienes presentan insuficiencia de peso.

Dejar de administrarse la insulina ocasiona una baja de peso muy peligrosa, puesto que el cuerpo disminuye de peso a causa de una pérdida de los niveles normales de agua, que incluso puede producir deshidratación. Sin la cantidad suficiente de insulina, el organismo no obtiene la glucosa necesaria para su energía. Por consiguiente, tiene que utilizar las reservas de glucógeno almacenados en el hígado, lo que produce un debilitamiento de los tejidos adiposos, los músculos y los órganos vitales del cuerpo. Si no vuelve a administrarse la insulina, la persona finalmente muere.

## Trastornos de la alimentación y salud

Las personas afectadas por algún trastorno de la alimentación corren más riesgo de tener problemas digestivos, cardíacos y otros, causados por la falta de alimentación, el vómito provocado y el abuso de laxantes y diuréticos. Además, los diabéticos aquejados por algún trastorno de la alimentación corren mayor riesgo de tener:

- Altos niveles de cetonas.
- Altos niveles de glucosa en sangre.
- Bajos niveles de glucosa en sangre.
- Afecciones de los ojos.
- Afecciones renales.
- Afecciones del sistema nervioso.

# Ayuda para curar los trastornos de la alimentación

Una persona que sufre un trastorno de la alimentación necesita la ayuda de un médico, un profesional de la salud mental y un dietista. Debe, por tanto, solicitar a su médico que lo envíe a los especialistas que considere conveniente. Hay algunas clínicas y centros de salud especializados en tratar a quienes sufren estos trastornos.

La mayoría de los trastornos de la alimentación pueden ser tratados aplicando psicoterapia ambulatoria, terapia de la conducta o terapia de grupo. Hay algunos casos donde se necesitan medicinas contra la depresión. Si una persona con un trastorno de la alimentación se niega a recibir ayuda, su vida está en peligro, y en este caso es necesaria su hospitalización en una entidad psiquiátrica, a fin de someterla a un tratamiento más intensivo.

# Vitaminas y minerales

Si usted consume la correcta cantidad de vitaminas y minerales ayuda a su organismo a funcionar debidamente. Usted puede obtener las vitaminas y los minerales de los alimentos que come. También los puede obtener en forma de tabletas, y éstas se denominan suplementos.

La mayoría de los diabéticos obtienen suficientes vitaminas y minerales, puesto que su alimentación suele ser variada. Sin embargo, algunos tienen deficiencia de ciertas vitaminas y minerales.

## Deficiencia vitamínica

La mayoría de los diabéticos consumen suficiente vitaminas A, E y C, pero algunas personas pueden necesitar más. Consulte con su médico al respecto.

Por lo general, los diabéticos consumen la dosis necesaria de las vitaminas B. Estas incluyen la $B_1$ (tiamina), la $B_2$ (riboflavina), la $B_3$ (niacina), la $B_6$ (piridoxina), la $B_{12}$ y el ácido fólico. Si usted no ejerce un adecuado control sobre su diabetes, corre el riesgo de perder las vitaminas

B a través de la orina. Es posible que su médico le recomiende consumir más alimentos ricos en vitaminas B.

Investigaciones realizadas muestran que una deficiencia de vitamina $B_6$ puede estar relacionada con la tolerancia alterada de la glucosa; es decir, la dificultad del organismo para utilizar la insulina.

| **Fuentes alimentarias de vitaminas y minerales** | |
| --- | --- |
| Vitamina A | hígado, atún, frutas y verduras de color naranja subido, hortalizas de hojas verdes |
| Vitamina $B_1$ (tiamina) | cerdo, semillas de girasol, cereales integrales |
| Vitamina $B_2$ (riboflavina) | hígado, pato, caballa, productos lácteos |
| Vitamina $B_3$ (niacina) | aves, pescado, ternera |
| Vitamina $B_6$ (piridoxina) | papas, bananos, garbanzos, jugo de ciruelas, aves, pescado, hígado |
| Vitamina $B_{12}$ | pescado, mariscos, hígado |
| Vitamina C | frutas cítricas, melón, fresas, kiwi, pimiento, brócoli, coles de Bruselas |
| Vitamina D | pescado, leche enriquecida, mantequilla, margarina, huevos |

| | |
|---|---|
| Vitamina E | nueces, semillas, aceites, mangos, moras, manzanas |
| Ácido fólico | legumbres, hortalizas de hojas verdes, espárragos, hígado, germen de trigo |
| Calcio | yogur, leche, queso |
| Cromo | germen de trigo, levadura, salvado, cereales integrales, hígado, carnes, queso |
| Cobre | cangrejo, hígado, nueces, semillas, ciruelas y uvas pasas |
| Hierro | mariscos, carnes, hígado, soya, semillas de calabaza |
| Magnesio | nueces, semillas, legumbres, cereales integrales, hortalizas de hojas verdes, pescado |
| Manganeso | cereales integrales, verduras, nueces, frutas |
| Potasio | frutas, verduras, legumbres, pescado, leche, yogur |
| Selenio | mariscos, pescado, hígado, nueces, cereales integrales |
| Zinc | carnes, hígado, mariscos |

## Deficiencias en minerales

Aunque la mayoría de los diabéticos obtienen suficiente cromo, algunos de ellos tienen deficiencia de este mineral. Esto puede ocasionarles alzas tanto de los niveles de glucosa en sangre como de las grasas en la sangre, además de tolerancia alterada de la glucosa.

Si un examen de laboratorio indica que usted tiene deficiencia de cromo, es posible que su médico le prescriba un suplemento de este mineral. Si obtiene de los alimentos suficiente cromo, tomar dosis adicional de este mineral no le ayudará a mantener sus niveles de glucosa en sangre o de grasas en la sangre.

Las deficiencias de cobre y manganeso por lo general se han relacionado con la tolerancia alterada de la glucosa. Sin embargo, la mayoría de los diabéticos obtienen suficiente cobre y manganeso, por tanto, no hay muchas posibilidades de esta deficiencia, y lo mismo sucede con el selenio. Por otra parte, los diabéticos no corren riesgos mayores que los no diabéticos de presentar deficiencias de hierro.

Los diabéticos que no mantienen controlados sus niveles de glucosa en sangre, o que presentan elevados niveles de cetonas, tienen una tendencia considerable a mostrar deficiencias de magnesio, lo que puede hacer que su organismo se haga menos sensible a la insulina. Si un examen de laboratorio indica que su nivel de magnesio es bajo, es posible que su médico le formule un suplemento de magnesio.

Las deficiencias de zinc son más frecuentes en los diabéticos, especialmente en aquellos que no logran tener controlada su enfermedad. La falta de zinc puede ocasionar tolerancia alterada de la glucosa. Por tanto, si un examen de laboratorio muestra que usted no tiene suficiente zinc, es posible que su médico le prescriba algún suplemento o comer más alimentos ricos en zinc.

## Suplementos de vitaminas o minerales

Consulte con su médico o con el dietista para asegurarse de que está obteniendo las vitaminas y minerales que necesita. Si su médico o su dietista encuentra que le están faltando algunas vitaminas y minerales, probablemente le prescribirá algún suplemento.

*Si usted está a dieta y consume menos de 1.200 calorías al día*
   Es posible que necesite hierro y ácido fólico.

*Si usted no consume ningún alimento de origen animal*
   Es posible que necesite vitamina $B_{12}$, calcio, hierro, vitamina $B_2$ (riboflavina) y zinc.

*Si presenta riesgo de enfermedades óseas*
   Es posible que necesite vitamina D, calcio y magnesio.

*Si tiene más de 65 años*
   Es posible que necesite calcio y ácido fólico.

*Si está embarazada o amamantando*
   Es posible que necesite cantidades adicionales de hierro, zinc, calcio y ácido fólico.

*Si toma diuréticos*
   Es posible que necesite magnesio, calcio, potasio y zinc.

**Consulte con su médico antes de tomar algún suplemento.**

# Las dosis adecuadas

La Academia de Ciencias de Estados Unidos ha dado unas recomendaciones referentes a las dosis adecuadas de vitaminas y minerales (*Recommended Dietary Allowances* [*RDAs*], *Safe and Adequate Intakes for vitamins and minerals*). Las siguientes son las cantidades mínimas de vitaminas y minerales que necesita la mayoría de las personas. Tanto quienes estén sanos como los diabéticos necesitan consumir estas cantidades.

### Dosis recomendadas de vitaminas y minerales para hombres y mujeres entre los 25 y los 50 años

|  | Hombres | Mujeres |
|---|---|---|
| Vitamina A | 1.000 µg RE | 800 µg RE |
| Vitamina $B_1$ (tiamina) | 1.5 mg | 1.1 mg |
| Vitamina $B_2$ (rivoflabina) | 1.7 mg | 1.3 mg |
| Vitamina $B_3$ (niacina) | 19 mg | 15 mg |
| Vitamina $B_6$ (piridoxina) | 2 mg | 1.6 mg |
| Vitamina $B_{12}$ | 2.0 µg | 2.0 µg |
| Vitamina C | 60 mg | 60 mg |
| Vitamina D | 5 µg | 5 µg |
| Vitamina E | 10 mg aTE | 8 mg aTE |
| Ácido fólico | 200 µg | 180 µg |
| Calcio | 800 mg | 800 mg |
| Cromo | 50-200 µg | 50-200 µg |
| Cobre | 1.5-3.0 mg | 1.5-3.0 mg |
| Hierro | 10 mg | 15 mg |
| Magnesio | 350 mg | 280 mg |
| Manganeso | 2.0-5.0 mg | 2.0-5.0 mg |
| Potasio | 3.500 mg | 3.500 mg |
| Selenio | 70 µg | 55 µg |
| Zinc | 15 mg | 12 mg |

RE son las siglas de retinol equivalentes (equivalentes del retinol). Desde 1974 la Academia de Ciencias de Estados Unidos ha venido utilizando los equivalentes de retinol (RE) en vez de las unidades internacionales (U.I.) para medir la vitamina A en los alimentos. aTE significa 'equivalentes del alfatocoferol'. El alfatocoferol es la forma de vitamina E de más fácil absorción.

# Índice

# Otros títulos de nuestro fondo de salud

**Artritis y reumatismo**
*Guía práctica para entender y manejar esta enfermedad*
Lee Rodwell

**Enfermedad de Alzheimer**
*Respuesta a las preguntas más frecuentes*
Liz Hodgkinson

**Depresión**
*Guía práctica para entender y manejar esta enfermedad*
Stephen Merson, M.D.

**Hipertensión**
*Síntomas • Tratamientos • Recuperación*
Vincent Friedewald, M.D.

**Asma**
*Todo lo que usted debe saber*
Vincent Friedewald, M.D.

**Cáncer de la próstata**
*Respuestas a las preguntas más frecuentes*
Sheldon Marks, M.D.

**...Y la vida continúa**
*Cómo enfrentar positivamente el diagnóstico de un cáncer y seguir adelante*
Ann Kent

**Cáncer de seno**
*Todo lo que usted debe saber*
Vincent Friedewald, M.D. y Aman U. Buzdar M.D.

**Qué es el SIDA y cómo prevenirlo**
*Un libro que todo el mundo debe leer*
Chris Jennings

Apreciado lector,

Si desea recibir información sobre nuestras próximas publicaciones, por favor llene esta encuesta y, a vuelta de correo, recibirá periódicamente nuestro Boletín mensual de novedades.

1. ¿En qué libro encontró esta encuesta?

_____

2. ¿Qué opina usted del contenido de ese libro?

    Excelente ❑        Muy bueno ❑        Bueno ❑

    Regular ❑        Malo     ❑

Observaciones: _____

3. De las líneas que publica la División de Interés General (Gerencia, Superación personal, Salud, Hogar y familia, Espiritualidad, Humor y Computadores), ¿sobre qué temas le gustaría leer?

_____

**Nombre** _____

**Profesión** _____

**Dirección** _____

**A.A.** _____ **Teléfono** _____ **Fax** _____

**Ciudad** _____ **Departamento** _____

*Le agradeceríamos enviar esta encuesta a:*
*Grupo Editorial Norma*
*División de Interés General*
*Departamento de Mercadeo*
*A.A. 46 Cali (Valle)*        (Oferta válida sólo en Colombia)